ff dimmen

Els Rooijers
Met tekeningen van Juliette de Wit

zwijsen

Thijs

'Hier die bal!
Sukkel, kijk dan uit je doppen!
Ik sta vrij, dat zie je toch!'
Ja hoor, Max is weer bezig, denkt Thijs.
Nu ík niet meedoe, kan hij flink scoren.
Niemand die de bal van hem afpakt.
Nu heeft hij zijn zin.

De zon schijnt en toch ligt Thijs op zijn bed.
Hij heeft een naar gevoel in zijn buik.
Door het open raam klinkt de stem van Max.
'Ja, hier die bal!
Op mij, vlug speel op mij!
Sukkel, wat doe je nou!'

Ik zou Max graag een les leren, denkt Thijs.
Ik pak hem de bal af.
Dan om hem heen en scoren.
Steeds weer, totdat hij boos naar huis gaat.
Zal ik het doen?
Zal ik het erop wagen?

Thijs kijkt naar zijn computer.
Op het scherm staat een foto van **Marco van Ginkel**.
En wat als Max achter mij aan komt?
Als hij me met een groep gasten een pak slaag geeft,
omdat ik toch kom voetballen?
Nee, ik blijf maar hier.

Hij loopt naar zijn computer.
Lot is online, en Tess en nog een stel meiden uit de klas.
Geen jongens, die zijn fijn aan het voetballen.

☺ Lel Bel zegt:
Ga zo shoppe met me ma

☺ Top Lot zegt:
een broek?

☺ Lel Bel zegt:
Ja, het werd tijd! Haha ☺

☺ Top Lot zegt:
Cool!!!! ☺☺☺

☺ Lel Bel zegt:
☹ **w8ff, super sukkel is online** ☹☹

☺ Top Lot zegt:
☹☹☹ Bedoel je sukkel Thijs? ☹☹☹

☺ Lel Bel zegt:
☹☹☹ **Ja die! Hahahahaha** ☹☹☹

☺ Top Lot zegt:
Haha! tis een mietje, zegt Max ☹☹

Thijs kijkt met grote ogen naar het scherm.
'Wát?' roept hij uit.

'Hebben die meiden het over mij?
Wat heb ik ze gedaan?'
Hij staat op en loopt op en neer door de kamer.
Het komt door Max, denkt hij.
Dat joch zet iedereen tegen mij op.
'Sukkels, ik kap ermee!' schreeuwt Max buiten.
'Dit is toch geen voetballen!
Echt, jullie kunnen er niets van!'

Thijs gluurt naar het speelveld.
Er is geen jongen meer te zien.
Ik moet iets doen, denkt hij.
Ik moet laten zien dat ik niet bang ben voor Max.
Dat hijzelf een mietje is.
Thijs loopt weer door zijn kamer.
Dan gaat hij toch weer op zijn stoel zitten.
Zijn vingers gaan snel over de toetsen.

☺ Fan van Ginkel zegt:
Max is zelf een **mietje**! ☹

☺ Fan van Ginkel zegt:
☹ En voetballen kan hij ook niet!!
Hij wint steeds omdat ze bang voor hem zijn!!! ☹

Blij kijkt Thijs naar het scherm.
Zo, dat heeft hij toch maar mooi gedaan!
Nu weten die meiden dat hij niet bang is voor dat joch.
Een tel later komt er al antwoord.

☹☹☹ Slachter M zegt:
☹☹ Thijs, vuile rat! Je moet je bek houe! ☹☹

Thijs' maag trekt samen.
Help! Dat is Max!

☹☹☹ Slachter M zegt:
☹☹ **Rat! *@%#%&!!! Nu ga je eraan!!!**

☹☹☹ Slachter M zegt:
☹☹ **Ik maak gehakt van je!!!!**

☺ Fan van Ginkel zegt:
☺☺ Hahaha!! Die Max!!!
Was maar een grap hoor! ☺☺

Thijs typt heel snel.
Ik moet het goedmaken, denkt hij.
Anders kan ik nooit meer naar buiten.
Dus ook niet naar training.
Dag plek in het eerste ...

☹☹☹ Slachter M zegt:
☹☹ **Grap???? My $tin#*ing ass!!!** ☹☹☹

☹☹☹ Slachter M zegt:
☹☹☹ **Zal je eens een grap laten voele!!!
Kom er nu aan!!!!** ☹☹

Help! Thijs weet even niet wat hij moet doen.

'Mam!' roept hij langs de trap.
'Mam, als er iemand aan de deur komt, ben ik er niet!
Ik heb geen tijd om te spelen.
Ik moet een werkstuk maken!'

Moeder

De moeder van Thijs kijkt naar een foto van een meisje.
Isa, denkt ze, Isa ... wat een leuke naam.
Haar kin steunt op haar hand en ze staart voor zich uit.
Het zou voor Thijs ook goed zijn als Isa in huis komt,
denkt ze.
Hij zit maar steeds op zijn kamer.
Nu wil hij zelfs geen vrienden meer zien.

Ze kijkt weer naar de foto van Isa.
Er staat een rood hart bij met de tekst:
"Wij zoeken nog een hart met wat ruimte!"

**Wij zoeken
nog een hart
met wat ruimte!**

Ruimte hebben we, denkt mam.
En niet alleen in ons hart, maar ook in ons huis.
Isa kan de kamer naast die van Thijs krijgen.
Het is een mooie kamer met veel licht.

Ze legt de foto neer en loopt naar de keuken.
Ze zet water op.
'Thijs!' roept ze naar boven.
'Thijs, er is thee.'
'Hoeft niet, geen dorst,' schreeuwt Thijs terug.
'Kom toch maar.'

'Waarom?'
'Ik wil met je praten.'

Thijs komt de trap af.
'Toch maar wel thee?' vraagt mam.
'Goed dan.'
Mam zet thee en koek neer.
'Kijk, ik heb spritsen,' zegt ze.
'Daar hou je toch zo van?'
Thijs haalt zijn schouders op en kijkt langs haar heen.
'Wat is er toch?' vraagt mam.
'Waarom ga je niet naar buiten?
Ik zag dat Max en zijn vrienden op het veld
aan het spelen zijn.'
'**Niet waar!**' zegt Thijs fel.
Hij werpt een blik uit het raam.
'Max zit weer thuis.'

Wat doet hij nou raar, denkt mam.
Hij lijkt niet erg blij.
Ze pakt de foto en geeft hem aan Thijs.
'Dit is Isa.'
Ze houdt haar adem in.
Thijs kijkt naar de foto.
'Nou en?' vraagt hij.
'Wat is daarmee?'

'De vader van Isa is dood,' zegt mam.
Thijs kijkt nog eens naar de foto.
'Rot voor haar.'

Mam knikt.
'Ook voor de moeder van Isa,' zegt mam.
'Ze is in de war van verdriet.
Zelfs zo erg dat ze niet meer voor Isa kan zorgen.
Ze ligt in het ziekenhuis en mag niet naar huis.'
Thijs kijkt weer naar de foto.
'**Echt rot** voor haar.'
'Isa woont nu bij een vriendin,' zegt mam.
'Maar daar kan ze niet blijven.
Het huis is er te klein voor.'

Thijs kijkt zijn moeder snel aan.
'Dan gaat ze toch naar haar oma.'
'Dat is het nou juist,' zegt mam.
'Haar oma woont ver weg.
Dan moet Isa naar een nieuwe school
in een vreemde stad.
En is ze haar vriendin ook nog kwijt.
Dat zou jij toch ook **niet willen**?'
Mam kijkt Thijs vragend aan, maar hij zwijgt.
'Pap en ik zijn het eens.
We willen Isa een plek geven in ons huis.
We gaan vragen of ze bij ons komt wonen.'
'Wát?' Thijs springt op.
'Die griet bij ons in huis?
Als je het maar laat!'
De deur slaat achter hem dicht.

Nou ja, zeg, denkt mam.
Hoe kan hij nou zo doen?

Zo ken ik Thijs niet.
Hij is altijd **zo aardig**.
En nu dit …

Lang staart ze naar Isa's gezicht.
Thijs moet maar aan het idee wennen, denkt ze.
Want jij, Isa, bent welkom bij ons.

Thijs

Thijs rent hard de trap op.
Nee! denkt hij, nee!
Niet dit!
Niet een meid in huis!
Hij trapt de deur achter zich dicht en gooit zich op bed.
Meiden zijn het ergst!
Ze doen lief tegen je, maar achter je rug hoor je ze lachen.
Kwaad slaat hij op het matras.
Meiden smoezen altijd.
Blah, blah, blah.
Meiden, bah, niks voor mij.

Thijs haalt een punaise uit een poster die bij zijn bed hangt.
'Weg jij, Van Ginkel!' gromt hij boos tegen de voetballer.
Het papier krult naar boven op.
Thijs pakt een stift en schrijft met dikke letters
op de muur:

SHIT!!!!!!!

En dan:

SUPERSHIT!!!!!!

Hij schrijft groot en lelijk, maar het helpt niets.
Hij voelt zich nog net zo rot als voor die tijd.
Wat als die meid me gaat **pesten**?
In mijn eigen huis?

Dan kan ik geen kant meer op.
Een computer kun je uitdoen, maar een meid niet.

De angst grijpt Thijs bij zijn keel.
Zal ik pap en mam zeggen wat er aan de hand is?
Zeggen dat ik bang ben dat ook zij me gaat pesten?
Thijs schudt zijn hoofd.
Nee, dat heeft geen zin.
Dat weet hij nu al.
'Pesten?' vragen ze dan.
'Waarom zou ze jou nou pesten?
Je bent toch een leuk joch?
Je barst van de vrienden.'

Niet dus! denkt Thijs.

'**Shit**!' brult hij in zijn kussen.

'Thijs?' klinkt het vaag uit de gang.
'Thij-ijs!'
Thijs legt het kussen opzij.
Snel prikt hij de poster weer vast aan de muur.

'Ik wil nog met je praten,' zegt mam met haar hoofd
om de deur.
'Waarom?'
'Dat weet je best.'
Mam komt naast hem op bed zitten.
Ze legt haar hand op zijn arm.

'Sorry dat ik je heb laten schrikken,' zegt ze na een poos.
'Ik snap best dat je het niet leuk vindt dat er
een meisje in huis komt.
Dan ben je niet meer alleen met ons.
Je zult ons met haar moeten delen.
En dat is nieuw voor jou.'

Wat **krijgen we nou**?
Denkt ze dat ik daarom boos ben?
Wat een onzin!
Het gaat echt niet om delen!

'Je moet ook aan dat meisje denken,' praat mam door.
'Het is toch fijn om haar te helpen?'
Mam kijkt hem met haar lieve ogen aan.

Ze moest eens weten, denkt Thijs.
Ze moest eens weten hoe erg ik **gepest** word.
Hij wendt zijn gezicht af naar de muur.
Het komt door Max, denkt hij.
Dat joch zet ieder kind tegen mij op.
Op school, op voetbal, in de buurt, en straks ook die Isa.

'Pap en ik houden veel van je,' zegt mam.
'En dat blijft zo, ook als Isa bij ons woont.'

Thijs voelt mama's lippen op zijn wang.
Er prikt een traan in zijn oog.
Zal ik het mama vertellen?
Hoe **eenzaam** en **bang** ik ben ...

Maar dan gaat ze naar het hoofd van de school!
Of naar de trainer van voetbal.
Zo is ze wel.
Nee, dat niet!

'Ik weet dat jullie veel van me houden,' zegt Thijs.
'En dat blijft zo, ook als Isa komt,' zegt mam nog eens.
Ze geeft Thijs een knuffel en staat dan op.

'Vlug kleed je om, anders kom je te laat voor training.'
'**Ik** ga niet,' zegt Thijs.
'Ik voel me niet lekker.'
'Ga toch maar wel, daar knap je vast op.
Kom op, shirt aan en rennen.'

Thijs

Thijs loopt door de tuin naar zijn fiets.
Slap steekt hij zijn hand op naar mam.
Dan sloft hij met zijn fiets het hek uit.
Aan de rand van de stoep kijkt hij de straat langs.
Mooi, geen kind te zien!
Hij rijdt langs het speelveld.
Een klein joch rent naar een klimrek.

Waar ga ik heen? denkt hij bij de hoek.
Naar links dan maar?
Ik fiets een heel eind en blijf ver uit de buurt
van het voetbalveld.
Thijs rijdt door de stad, langs het park en de bieb.
'Hé Thijs!' klinkt het hard.
Thijs **schrikt** en gluurt om.
Het is Bob die naar hem zwaait.
Thijs steekt zijn hand op en zwaait ook.

'Ga je naar voetbal?' roept Roos wat later.
'Dan moet je toch die kant op?'
Ze wijst en lacht, maar het klinkt niet gemeen.
Thijs lacht ook en fietst wat harder.
Wat zijn ze aardig!
Valt het dan toch mee met dat **gepest**?

Nu rijdt hij toch naar het voetbalveld.
Wie weet ben ik nog op tijd!
En Max? denkt hij als hij zijn fiets tegen het hek gooit.

Nee! Hij schudt zijn hoofd.
Als trainer Kees Punt er is, kan Max me niks doen.
Hij rent naar het veld.

De jongens staan om Kees Punt heen.
Hij legt iets uit, draait zich om en wijst naar het doel.
Vlug geeft Max Bob een duw.
Bob botst hard tegen de rug van Kees Punt.
Boos draait Kees Punt zich om en bromt op Bob.
De moed zakt Thijs in de schoenen.
Laat ik maar naar huis gaan.
Want als ik op het veld kom, moet Max mij hebben.

Kees Punt kijkt zijn kant op en wenkt.
'Schiet eens op, Thijs!' dreunt zijn stem over het veld.
O nee! Thijs slikt.
Nu kan ik niet meer weg.
Op een drafje gaat hij naar de groep.
'Waarom ben je zo laat?' vraagt Kees Punt.
Thijs kijkt naar de grond en haalt zijn schouders op.
'Wil je graag voor **straf** rondjes om het veld lopen?'
Thijs schudt zijn hoofd.
Max grijnst vals.

'Pak een bal,' zegt Kees Punt tegen de jongens,
'en dribbel om het veld.
Klaar voor de start? Gaan!'
Hij blaast op zijn fluit en de jongens stuiven weg.
Ik blijf ver uit de buurt van Max, denkt Thijs.
'Kom op, Thijs, gaan!' roept Kees Punt.

'Je wilt toch in de D1 spelen?
Dan moet je wel je best doen.
Hollen! Laat zien wat je kunt!'

Met de bal aan zijn voet rent Thijs weg.
Bal een klein tikje met rechts, dan met links.
Weer met rechts en dan voet op de bal.
Thijs draait om zijn as met de bal aan zijn voet.
En weer vaart!
Thijs krijgt er steeds meer lol in.
Hij denkt niet meer aan het **gepest** van Max.
Voor hij het weet is hij weer bij Kees Punt.

'Nu met twee spelers,' zegt Kees Punt
'Samen loop je met de bal een rondje om het veld heen.'
Thijs gluurt naar Max.
 O nee! Dat joch komt stap voor stap naar hem toe!
Thijs' mond voelt nu heel droog.
Hij hoort niet meer wat Kees Punt zegt.
Weg! **Ik wil hier weg**!
Hij schuift achter Bob langs en kruipt weg naast Pim.
'Plaat de bal schuin voor de ander,' zegt Kees Punt.
'Niet snoeihard, maar een bal op maat.
Zijn jullie er klaar voor?
Daar gaat-ie!'

De groep wijkt uiteen en Max komt recht op Thijs af.
'Jij gaat met mij,' zegt hij.
'Is goed,' zegt Thijs koel.
Zijn hart slaat een tel of drie over.

Help! Wat is hij met me van plan?

Max geeft een mooie bal op Thijs.
Kees Punt kijkt toe.
Thijs schuift de bal terug, maar het gaat niet zo goed.
Zijn been voelt strak en stijf.
Zat hij maar thuis.

'Hé, niet zo hard!' schreeuwt Max.
Hij doet niet erg zijn best om de bal te stoppen.
Kees Punt kijkt om, en ziet hoe de bal langs een struik rolt.
Max moppert luid als hij hem gaat halen.
'Waar is dat ding?'
Hij schopt tegen een tak en zoekt heel lang.
De meeste jongens zijn het veld al rond.

'Nou niet weer zo hard!' roept Max naar Thijs.
'Want dan ga je hem maar zelf halen.'
Als Kees Punt met zijn rug naar hen toe staat,
geeft Max de bal keihard een schop.
Thijs kan er echt niet bij.
'**Sukkel**, steek dan je been uit!' schreeuwt Max.
'En loop eens wat harder!'

Thijs ziet dat Kees Punt naar hem kijkt.
Hij rent zo hard als hij kan, achter de bal aan.
Wat gemeen van Max! denkt hij.
Wat een **rotstreek**!

Veel te laat zijn ze terug bij de groep.
Kees Punt heeft al verteld wat de jongens moeten doen.
'Ik wil weer met Thijs,' zegt Max.
Hij slaat zijn arm als een klem om Thijs' nek.
'Jij schopt geen bal raak,' zegt hij zacht in Thijs' oor.
'Daar zorg ik wel voor.'

Na een uur zijn ze klaar.
'Goed gewerkt,' zegt Kees Punt.
Hij steekt zijn duim op en klopt Max op zijn schouder.
'Thijs, jou wil ik spreken.'

De jongens gaan van het veld, maar Thijs blijft staan.
'Thijs, ik snap het niet,' zegt Kees Punt.
'Je deed altijd goed je best, en nooit was je te laat.
Je speelt knap en scoort heel vaak.
En nu gaat het mis.
Wat is **er** aan **de hand**, Thijs?
Waarom lukt het niet meer?'

'Niets aan de hand,' zegt Thijs.
Hij doet zijn best om vrolijk te kijken.
Het is die rot Max, dreunt het in zijn hoofd.

'Zo kom je niet in D1,' zegt Kees Punt.
Thijs slikt en bijt hard hij op zijn lip.
'Het komt door ...' zegt hij.
Stil! **Hou je mond**! klinkt het in zijn hoofd.
Het helpt toch niet als je het vertelt.
Max zegt gewoon dat het niet waar is.

24

En op school of op weg naar huis neemt hij wraak.

'Ik ben de hele dag al niet zo lekker,' zegt Thijs snel.
'Maar ik moest van mam toch naar training.
Het komt door haar.'

Kees Punt kijkt hem lang aan.
Hij gelooft me niet, denkt Thijs.
Vlug slaat hij zijn ogen neer.
'Vanaf nu doe je weer goed je best, oké?'
Kees Punt geeft hem een por.
'Kom we gaan naar het clubhuis om wat te drinken.'
Thijs schudt snel zijn hoofd.
'Nee, dank u, ik heb **pijn in mijn buik**.
Ik ga snel naar huis.'

Moeder

'Hier slaapt Thijs,' zegt moeder een dag later tegen Isa.
'Ik denk dat hij zijn kamer wel zelf aan je laat zien.'
Ze loopt door naar een volgende deur.
'En dit is jouw kamer.'

Isa kijkt een grote kamer in.
Ze kijkt naar het bed en het bureau.
Het blad is leeg, de muur is kaal.
'Leuk,' zegt ze zacht.
Snel wendt ze haar hoofd af, alsof ze het niet wil zien.

Ach, die Isa, denkt mam.
Zo te zien voelt ze zich naar.
'Vind je de kamer niet mooi?' vraagt mam.
'Ja hoor,' zegt Isa mat.
Ze knikt flauw en draait zich om naar de gang.
Mam legt snel haar arm om Isa's schouder.
Ze trekt Isa naar zich toe.
'We zijn blij dat je bij ons bent, Isa.
Ik hoop dat je je gauw thuis voelt.'

'Wanneer komt Thijs?' vraagt Isa.
Mam kijkt op de klok.
'Vier uur … **wat raar** … hij had al thuis kunnen zijn.
Hij komt zo, ik zet alvast thee.'

Mam loopt naar de keuken en zet water op.
Waar blijft **Thijs** nou? denkt ze.

Ze spoelt de theepot om.
Blijft hij weg omdat hij Isa niet wil zien?
Mam voelt dat ze boos wordt.
Als dat zo is ... bah, wat vind ik dat flauw!
Ze doet een zakje in de pot.

Dan hoort ze het hek van de tuin piepen.
Thijs loopt langs het pad.
Hij smakt zijn fiets tegen de schuur.
'Wat nu weer?' zucht mam.
'Wat is er toch met die knul?'
Ze giet het water in de pot.
Buiten smijt Thijs zijn tas op de grond.

Mam loopt naar hem toe.
'Ha, Thijs, wat ben je laat.'
Ze doet haar best om niet boos te doen.
'Mijn band is weer eens lek!'
Thijs trapt tegen zijn wiel.
'Ho ho, dat is echt niet nodig,' zegt mam.
'Dat doe ik toch ook niet als mijn band lek is?'
'Jouw band is **nooit lek**!' schreeuwt Thijs.
Hij kijkt zijn moeder woest aan.
'En jouw ventiel is ook nooit weg.
Maar dat van mij wel, dat wordt steeds gejat!'
Weer trapt hij tegen zijn fiets.

'Stop!' Mam pakt Thijs bij zijn arm.
'Kom, naar binnen, daar wacht Isa op ons.'
Ze zwaait en lacht naar Isa die stil voor het raam staat.

In de gang buigt mam zich naar Thijs toe.
'Isa voelt zich nog niet erg op haar gemak,' zegt ze zacht.
'Dus je doet wel **leuk** tegen haar!'

Thijs

Wat een **stom gedoe**! denkt Thijs.
Hij loopt door de gang naar de kamer.
Nou moet ik die griet ook nog gedag zeggen.
Laat me toch met rust!
'Hoi,' zegt hij mat in de deur.

'Dit is nou Isa,' zegt mam vlug.
Thijs voelt de hand van mam in zijn rug.
Ze duwt hem de kamer in, naar de bank toe waar Isa zit.
Als een klein kind dat voor het eerst naar school moet,
denkt Thijs boos.
Hij schudt zijn moeders hand af.
'Hoi,' zegt hij weer.
Hij houdt zijn hand stijf op zijn rug en kijkt naar Isa.
Mooi haar, denkt hij, lang en bruin.
En ze is groot!
'Hoi,' zegt Isa zacht.

'Thijs zijn **band was lek**,' legt mam uit.
'Daarom is hij zo laat.'
'Echt? Moest je lopen?' vraagt Isa.
'Ja,' liegt Thijs.
Hij is op die lege band naar huis gefietst.
Maar dat hoeft mam niet te weten.
'Is je school ver van hier?' vraagt Isa.
'Een minuut of tien met de fiets.'
'En nu moest je dat eind lopen?
Pff, ik was mooi gaan fietsen!

Die band is toch al lek.'

Meent ze dat nou? denkt Thijs en hij kijkt haar aan.
'Dan gaat hij nog meer stuk,' zegt hij maar.
'En dat zou zonde zijn,' vult mam aan.
Isa lacht een beetje.
Wat ben ik nou een **sukkel!** denkt Thijs boos.
Wat zeg ik nou voor iets stoms!
Kijk, ze lacht me nu al uit.
Ze denkt vast dat ik heel braaf en sloom ben.

'Thijs, wil je ook thee?' vraagt mam.
'Best,' zegt hij vlak.
Mam loopt naar de keuken.
Als ze de deur uit is, lacht Isa zacht.
'Wat kun jij goed liegen, zeg!
Als je dat hele eind moet lopen,
kun je toch niet nu al thuis zijn?'

Thijs voelt dat hij rood wordt.
Hij knikt naar de deur.
'Anders gaat ze zeuren
dat het geld haar niet op de rug groeit.
En dat ik zelf maar een nieuwe band moet kopen.'
'Ha! Net als mijn moeder!' lacht Isa.

Thijs kijkt naar de kuiltjes in Isa's wang.
Wat leuk, die krijgt ze als ze lacht.
Hij voelt zich plots blij.
Zo blij heeft hij zich al heel lang niet gevoeld.

'Hij is niet eens echt lek,' zegt hij.
'Een joch trok het ventiel eruit en liep er toen mee weg.'
'Echt?' schrikt Isa. 'Dat is rot!'
Thijs haalt zijn schouders op.
'Ik ben wel wat gewend.'

'Zijn jullie al vrienden?' vraagt mam als ze binnenkomt.
Was het maar waar, denkt Thijs.
Nu doet Isa aardig, maar straks is dat vast over.
Dan **pest** ze me, net als alle meiden.
'Ik hoef geen thee,' zegt hij.
Hij schuift de mok van zich af.
'Ik ga naar boven.'

'Moet dat nou?' vraagt mam en ze kijkt boos.
'Laat Isa de buurt zien, dat vindt ze vast leuk.'
Nee! Niet naar buiten! Dat wil ik niet!
Thijs voelt zich plots heel naar en wordt bleek.
'Ik wil ook graag naar mijn kamer,' zegt Isa.
'Dan kan ik mijn shirts in de kast leggen.
En mag ik een poster aan de muur hangen?'
'Ja hoor, Thijs heeft wel plakband voor je, toch Thijs?'
'Ik zet het wel op de gang,' zegt Thijs bij de deur.
Hij rent naar boven, wil weg **van die meid!**
Maar hij hoort haar stappen al in de gang.

Isa

Isa loopt de trap op.
De deur van Thijs slaat met een knal dicht.
Wat doet dat joch nou raar?
Vindt hij me stom en wil hij niet dat ik in zijn huis ben?
Maar waar moet ik dan heen?
Ze doet de deur van haar kamer open.
Ze kijkt naar het bed, het kleed, de kast.
Alles is vreemd.
Zelfs de geur is anders dan thuis.
Wat doe ik hier? denkt ze en ze zucht.

Ze gaat voor het raam staan.
Wat is het hier stil.
Geen brommers, geen tram, zelfs geen bus.
Ze pakt haar mobiel en stuurt een sms naar haar vriendin.

Super saai en stil hier! Bah!!!

Maar wacht, nu hoort ze toch iets.
Ze doet het raam open en buigt zich naar buiten.
Op een veld ziet ze jongens voetballen.
Een groot joch speelt de baas.
Hij **duwt** en **snauwt** en eist de bal op.
Wat een naar joch!

Ze wendt zich van het raam af en loopt naar haar tas.
Hij staat op een kleed, naast een doos.
Ze knielt en doet de rits open.

Ze haalt er een trui uit en nog een.
Dan een broek, een shirt, een rok, en nog een shirt.
Ze legt alles op het bed.
Dan haalt ze een foto uit de tas en kijkt er lang naar.
'**Dag pap**,' zegt ze zacht tegen de man op de foto.
Hij staat op straat voor hun huis naast een racefiets.
Zijn arm ligt om de schouder van mam.
Was die dag maar niet met je fiets op pad gegaan,
pap, denkt Isa.
Dan was nu alles nog goed.

Leeg staart ze voor zich uit.
Nu is niets meer goed.
Mam is ziek en mag niet naar huis.
En ik zit hier, bij mensen waar ik niet thuis hoor.
Steeds meer tranen komen in haar ogen.
Nee! Boos schudt ze haar hoofd.
Nee, **niet huilen**! Daar schiet ik niks mee op.

Vlug staat ze op.
Nu niet meer denken!
Hard trekt ze de doos open.
Boek voor boek zet ze op een plank langs de muur.
Haar pennen legt ze in een la.
Zo geeft ze al haar spullen een plek.
Nu nog de posters, denkt ze.
Ze rolt er een open en houdt hem tegen de muur.
'Deze plek is mooi voor jou, poes,' zegt ze tegen de leeuw
op de poster.
'Nu het plakband halen bij Thijs.'

Op de grond, naast de deur van Thijs,
ligt een rol plakband klaar.
Door de deur heen klinkt getik.
Hij is vast aan het **chatten** met een meisje.
Daarom mag ik er niet in.
Ze raapt het plakband op.
Dan legt ze haar oor tegen het hout van de deur.
Het tikken is gestopt.

'**Wat een sukkel!**' schreeuwt Thijs.
Een dreun klinkt alsof hij met zijn vuist op iets hards beukt.
Isa stapt snel weg bij de deur.
Wat is er met Thijs?
Zijn stem klinkt zo raar!
Zo boos, maar ook bang.

Isa staart naar de deur.
Thijs houdt zich nu stil.
'Thijs?' roept ze lief.
'Thijs, wil je me helpen met mijn poster?
Het lukt me niet, dat ding rolt steeds weer op.'
'Nee!' brult Thijs.
'Vraag maar aan mijn moeder.
Zij wil toch zo graag dat je bij ons in huis komt.
Zij helpt je wel.'

Isa voelt zich koud worden en ze staart naar de deur.
Weer blinkt er een traan in haar oog.
Nee! Huil niet! Dat wil ik niet!
Kwaad veegt ze de traan weg.

Wat denkt dat joch wel niet?
Dat ze hier voor haar **lol** is?
Haar hart bonkt, woede stijgt naar haar hoofd.
Met een knal smijt ze de deur open.
'Stom joch!' schreeuwt ze.
'Wat denk je nou?
Dat alleen jíj een probleem hebt?'

Thijs

Thijs schrikt.
'**Het spijt me**,' zegt hij en hij schaamt zich.
Isa staat met haar rug naar hem toe.
Haar schouders schokken op en neer.
'Echt, het spijt me dat ik zo rot deed,' zegt hij weer.
Hij wil zijn arm om haar heen leggen, maar durft niet.
Slap valt zijn hand langs zijn lijf.
'Ik help je graag met je poster.'

Isa haalt haar neus op.
'Het is niet alleen die poster,' zegt ze zacht.
'Maar mijn kamer is zo leeg, zo niet van mij.
Snap je dat?'
Thijs knikt.
'Mag ik bij jou zitten?'
'Is goed,' zegt Thijs, maar hij **baalt** flink.
Nu zit hij met die meid!
Ze gaat vast in al zijn spullen kijken.
En dan vindt ze iets om hem uit te lachen.
Staat hij weer voor gek.
Hij stapt opzij en Isa loopt langs hem heen.

'Leuk hier,' zeg Isa.
Ze kijkt rond, loopt langs zijn bed, tuurt naar de posters.
Meent ze dat nou? denkt Thijs.
Isa staat nu bij zijn computer en ze kijkt naar het scherm.
Thijs schrikt zich naar, want op het scherm staat:

☹☹☹ Slachter M zegt:
☹☹**Ben je al thuis, sukkel?** ☹☹**Heb je fijn gelope???** ☺☹☹**Hahaha!** ☹☹

☹☹☹ Slachter M zegt:
☹☹**Morge doe ik het wr!** ☺☺**Hahaha! Is goed voor je! Hahahaha!** ☺☹☹

☹☹☹ Slachter M zegt:
☹☹☹**Daar word je sterk van en kan je hard 8-er de bal aan renne. Hahahahaha!** ☺☺☹☹

Thijs doet snel het scherm uit.
Dit hoeft Isa niet te weten.
'Mag ik ook chatten?' vraagt ze.
'De meiden uit mijn klas zijn vast online.'
'Nu niet, ik moet nog werk doen voor school,' liegt Thijs.
'Oké,' zegt Isa zacht, 'dan ga ik maar weer.'

Isa loopt naar de deur, maar blijft dan staan.
'Ik vind het niet leuk als een joch mij een sukkel noemt.
En jij?' Isa kijkt hem recht aan.
Thijs schrikt.
'Gaat wel,' zegt hij.
'Heeft die Slachter M jouw band leeg laten lopen?
Was je daarom zo kwaad?'
Thijs haalt zijn schouders op en kijkt naar de vloer.
Als Isa maar niet denkt dat hij een loser is.
'Is hij een vriend van je?'
'Max? Nee, echt niet!

Hij zit bij me in de klas en op voetbal.'
'Pff,' blaast Isa, 'daar ben je mooi klaar mee.
Het lijkt me een heel naar joch.'

Thijs kijkt haar aan.
Waarom zegt ze dit?
Wil ze me uit de tent lokken?
Wil ze dat ik nare dingen zeg over Max?
En dan zegt zij het vlug tegen hem.
Dan **ben ik weer de klos**.

'In mijn klas zit ook zo'n meid,' zegt Isa.
'Op school is ze best leuk, maar bij het chatten
doet ze echt zo rot.
Het lijkt wel of ze dan meer durft.
Maar ik klik haar gewoon weg.
En jij?'

Thijs zwijgt en kijkt Isa lang aan.
Ze lijkt geen pestkop.
Kan hij van haar op aan?
Thijs waagt het erop en zegt: 'Als ik dat doe,
scheldt Max me in de klas uit voor lafbek.
"Thijs, **mietje**, durf je niet eens te chatten,"
schreeuwt hij dan dwars door de school heen.
Hij zet me echt heel erg voor gek.
En ik weet niet wat ik eraan moet doen.'

'Laat mij maar,' zegt Isa.
Ze neemt plaats bij de computer en zet het scherm aan.

Ze typt heel vlug.

☺ Fan van Ginkel zegt:
☹☹☹ Max **½ zool** dat je bent!
Nou **ff dimmen** of ik stuur mijn grote zus op je af.
Zij hakt je zo in de prak. ☹☹☹

'Ben jij gek!' Thijs duwt haar weg.
'Je verstuurt het niet! Hoor je?
Straks staat hij voor de deur!'
Snel zet hij het scherm uit.
Stil staren ze naar het scherm dat nu zwart is.

'Je moet niet bang zijn,' zegt Isa na een poos.
'Dat maakt het nog erger.
Zeg toch tegen dat joch wat je van hem vindt.
Wat kan hij je nou doen?'
'Jij kent Max niet!' roept Thijs uit.
'Je hebt geen idee!
Alles kan hij met me doen.'
'Maar als het zo erg is, zeg het dan tegen je moeder.'
'Mijn moeder?' Thijs lacht zuur.
'Weet je wat zij dan doet?
Dan gaat ze naar Max en zegt: **"Foei!**
Jij mag mijn Thijs niet zo plagen.
Dat is heel stout van jou."'

Isa lacht.
'O wat erg! Dat zou mijn moeder net zo doen.'
Maar dan kijkt ze niet meer blij.

'Maar nu doet mam dat niet meer,' zegt ze.
'Nu zegt ze bijna niets meer.
Ze kan niet eens voor mij zorgen.
Ik sta er echt alleen voor.'
Wat erg, denkt Thijs en hij kijkt naar Isa.
Weer schaamt hij zich dat hij net zo rot tegen haar deed.
'**Vrienden**?' stelt hij voor.
Hij houdt zijn hand in de lucht.
Isa's gezicht klaart weer wat op.
'Yeah, bro!' zegt ze.
Haar hand slaat tegen die van Thijs.
'Vrienden.'

Isa

Een dag later, om drie uur, springt Isa snel op haar fiets.
'**Ik heb haast**, tot morgen!' roept ze naar haar vriendin.
Ze zwaait en kijkt dan op haar mobiel.
Ze heeft nog een kwartier.
Snel rijdt ze naar de wijk waar de school van Thijs staat.

Bij de school trapt ze hard op de rem.
'Net op tijd!' zegt ze.
Ze hangt op haar stuur en hijgt flink.
De deur van de school zwaait open.
Jongens en meisjes rennen het plein op.
Isa kijkt scherp toe.
'Te groot, te klein, haar te blond, haar te lang.'
Isa tuurt en tuurt, ze kent niet één kind.

Dan recht ze haar rug, en ze kijkt strak naar een knul.
'Die ken ik!
Hij was gister op het veld en speelde de baas.'
Het joch duwt **lomp** een klein kind aan de kant.
Hij rent naar een schuur op de hoek van het plein.
Daar geeft hij een rugzak een zwiep.
Met een plof landt de tas op het dak van de schuur.
Isa houdt haar adem in.
Dat is vast niet zijn tas.

'Zag je dat?' schreeuwt het joch naar een vriend.
'Nou heeft die sukkel wat te zoeken.'
'Cool!' De vriend lacht zo hard als hij kan.

Een stel meiden kijkt toe.
Het joch trekt aan een fiets.
Het lukt niet, de trapper zit vast in de fiets ernaast.
'**Stom ding**!' scheldt hij.
Ruw rukt hij zijn fiets los.
Hij springt op zijn zadel.
En hij rijdt recht op een groep jongens af.
'Jullie komen wel naar het veld, hoor!' schreeuwt hij.
'Tot zo!'
Hij fluit schel en scheurt het plein af.

Isa kijkt hem na.
Nou zeg, wat een naar joch! denkt ze.
Ze zoekt weer naar Thijs.
Waar blijft hij toch? Heeft hij soms straf?

Pas laat komt Thijs de school uit.
Snel loopt hij naar zijn fiets.
Het lijkt of hij zich klein maakt, denkt Isa.
Net of hij niet wil dat iemand hem ziet.

Ze rijdt naar het hek toe.
'Hoi!' roept ze, en ze zwaait.
Thijs krimpt in elkaar.
Vlug gluurt hij om zich heen, maar hij zwaait niet.
Snel stapt hij op zijn fiets en rijdt zo langs haar heen.
'Hé, Thijs!' roept Isa. '**Ken je me niet meer**?'
Wat is er nou aan de hand? denkt Isa
Wat raar, hij doet net of hij mij niet kent.
Maar we zijn toch vrienden?

Dat was zijn idee.
En hij was blij toen ik ja zei.
Dat zag ik echt wel aan zijn blik.
'Thijs, had je geen tas bij je?' roept ze hem na.
Maar Thijs kijkt niet op of om.
Hij slaat een hoek om en is weg.

Hè? Gaat hij naar links?
Maar hun huis, of nee, ons huis is toch naar rechts?
Isa staart de straat langs en snapt er niets van.
Waar gaat hij heen?
Vreemd. Hij kan toch wel iets zeggen?
Isa schudt haar hoofd.
Ze zet haar fiets tegen het hek.
Vlug loopt ze naar de schuur op het plein.

'Hier, je tas, Thijs,' zegt Isa als ze weer thuis is.
Thijs staat in een hoek van zijn kamer en kijkt niet op.
Zijn hand zit in zijn zak, zijn hoofd hangt naar voren.
Isa legt de tas op het bed.
Thijs draait zich half om.
'Hoe … hoe kom jij daar aan?'
Hij durft haar niet eens aan te kijken.

'Hij lag op het dak van de schuur bij jouw school.
Een groot joch gooide hem erop.'
'Had hij bruin haar, dan is het Max.'
'Kort en bruin en hij deed zo stoer als een aap.'
Wat zijn Thijs' ogen rood, denkt Isa.
Heeft hij gehuild?

'En spuugde hij op de grond?' vraagt Thijs.
'Wel tien keer,' zegt Isa.
'Het was net een ouwe vent.'
Ze lacht en gaat voor het raam staan.
'Saai hier,' zegt ze.
'Niks aan,' zegt Thijs en hij komt naast haar staan.

'Rij je altijd met een omweg naar huis?' vraagt ze dan.
Thijs schrikt en kijkt schuw weg.
'Heeft dat ook met die Max te maken?
Ben je bang dat hij op je wacht, en je een pak slaag geeft?'
Thijs zijn hoofd zakt meer en meer op zijn borst.
'En waarom zei je me niet gedag?
Wil je niet dat hij dat ziet?
Mag hij niet weten dat ik bij jou woon?'
Thijs draait zich kwaad om en trapt hard tegen zijn stoel.
De stoel knalt tegen een kast aan.
'Die rotzak!' schreeuwt Thijs.
'Kijk zelf maar op de computer.
Dan kun je zien **hoe hij mij bedreigt**.'

Thijs

Thijs zit bij de computer.
Hij typt zijn wachtwoord in.
Naast hem zit Isa, haar arm raakt die van hem.
Hij hoort hoe haar adem stokt, als ze leest
wat op het scherm staat.

☹☹☹ Slachter M zegt:
Hé Thijs, dombo! Heb je je tassie al trug?
Hahaha! ☹☹

☹☹☹ Slachter M zegt:
Haha! Morge zijn je sneakers aan de
beurt!!! Hahahaha ☹☹☹

☹☹☹ Slachter M zegt:
Een aap als jij moet op blote poten lope!!!!
Hahahahahaha ☹☹☹☹☹

☹☹☹ Slachter M zegt:
Ik hang je hoog in een boom. ☹☹☹ **Kan je**
lekker banane vrete!!!! Hahaha. Of stop je
die liever in je ****????? Hahahahaha ☹☹☹

Thijs kijkt naar Isa.
Met open mond staart ze naar het scherm.
'Wat een etter!' hijgt ze.
'Die gast moet kappen!'
Thijs wrijft hard over zijn broek.

Het lijkt of hij een vlek weg wil poetsen,
maar er zit niet eens een vlek.
Isa praat en praat, maar Thijs kan niks zeggen.
Elk woord zit klem in zijn keel.
Wat kan hij ook doen?
Max gaat toch door, zo lang als hij wil.

'We moeten wat doen!' Isa slaat op tafel.
'Dit moet stoppen!
Straks durf je niet eens de deur meer uit.'
What's new? denkt Thijs, dat durf ik nu al niet.
'Wat je ook doet, het wordt steeds erger,' zegt hij mat.

'Erger?' vraagt Isa fel. 'Hoe dan?
Dat kan niet eens!'
Ze zet het scherm uit en draait zich naar Thijs toe.
Haar ogen vonken, zo kwaad is ze.
'Echt, Thijs, we moeten Max een les leren.
Hij moet zelf voelen hoe erg het is als ze je pesten.
Dan houdt hij wel op!'

Thijs kijkt naar Isa.
Ze balt haar vuist en klemt haar kiezen op elkaar.
Zo te zien wil ze er echt iets aan gaan doen.
'Nou wat denk je?' vraagt ze.
'Zeg eens wat!'

'Hoe wil je dat dan doen?'
Thijs krijgt er nu al **pijn van in zijn buik**.
'Als Max iets merkt, komt hij achter mij aan.

Dat zweer ik je.'
'Ik gebruik mijn naam,' zegt Isa nu kalm.
'Max kent mij toch niet, en dat blijft zo.
Hij mag niet weten dat ik hier woon.
Dan weet hij echt niet wie hem mailt.'

'Ok,' zegt Thijs, 'en dan?'
'Eerst zoek ik uit **waarom** hij jou zo pest,' legt Isa uit.
'Wat wil hij van je?
En waarom juist jij?'
Isa staat op en loopt door de kamer.
'En we gaan op zoek naar zijn zwakke plek.
Waar is hij bang voor?
Wie vindt hij heel leuk?
Doet hij af en toe iets raars?
We volgen hem op school en op straat.
En we gluren in zijn huis.'

Thijs kijkt haar verbaasd aan.
'Het lijkt wel of je een agent bent.
Een vrouw uit een tv-serie of zo.'

Isa knikt stil en kijkt lang uit het raam.
'Mijn vader deed dit werk,' zegt ze na een poos.
'Hij zat bij de **politie**.'
'Cool,' zegt Thijs en hij schuift op en neer op zijn stoel.
Wat ziet Isa bleek.
Als ze maar straks niet weer huilt.
'Gaan we aan de slag?' vraagt hij snel.
Isa tilt haar hoofd op.

'Vind je het een goed plan?
Wil je het echt gaan doen?
Top!'
Ze houdt haar hand in de lucht voor een high five.
'We gaan dat joch krijgen!
Heb je een pen voor mij?'

Isa's ogen glimmen weer.
Fijn! denkt Thijs en hij zoekt vlug naar een schrijfblok.
'Hier.' Hij legt het blok met een pen voor Isa neer.
'Is Max nog online?' vraagt Isa.
Thijs doet het scherm aan.

☹☹☹ Slachter M zegt:
Thijs, $tink saucijs, wrom zeg je nix? ☹☹☹

☹☹☹ Slachter M zegt:
Bange sukkel! ☹☹☹ **K ga nu balle met de boys.** ☺ **Jou wil ik niet zien!!!** ☹☹☹

Thijs grijpt zich vast aan de stoel.
Hij knijpt hard in de leuning.
Rot joch! suist het door zijn hoofd.
Het liefst wil hij het scherm van tafel slaan.

'We gaan door met ons plan,' zegt Isa kalm.
'Max zal ons niet zien, maar we zijn er wel.
Wat hij ook doet, waar hij ook heen gaat, wij volgen hem.'

Thijs laat de stoel los.

Hij blaast lang uit en zijn arm ontspant.
Hij draait zich naar Isa toe en kijkt haar aan.
Hoe ze dat zegt!
Ze klinkt als een agent en lijkt geen tel bang.
Thijs zijn hart springt op.
Het komt goed!

'Gaan we?' vraagt Isa.
Ze stopt de pen en het blok en haar mobiel in haar tas.
'We gaan bij het veld naar Max gluren.
Hij is druk met zijn sport en heeft vast niks door.
Maar wij zien alles wat hij doet.'
'Wacht,' zegt Thijs.
Vlug trekt hij een zwart vest aan.
Hij wil echt niet dat Max hem in de bosjes ziet staan …

Isa

Isa en Thijs staan tussen de struiken.
Vlak bij hen doen Max en een paar jongens een wedstrijd.
'Ja hallo! Ik sta hier, hoor!' schreeuwt Max.
Isa ziet hoe Thijs zich klein maakt.
'Je hebt je beltoon toch wel uit?' vraagt hij schor.
Hij kruipt nog meer weg in de struiken.

'Ja, alles chill,' zegt Isa zacht.
Ze duwt een tak weg en kijkt door een gat naar het veld.
Af en toe rent een joch door haar beeld.
'**Pas nou op**!' sist Thijs.
'Straks ziet hij ons.'
Isa laat de tak los en het gat in de struik gaat weer dicht.
'Schiet dan!' schreeuwt Max.

Isa denkt diep na.
'Waarom zou je nou bang zijn voor dat joch?' vraagt ze
zich af.
'Waarom doet elk kind wat Max wil?
Hij **scheldt** en **dwingt** en **dreigt**.
En geen kind doet iets terug.'
Ze schudt haar hoofd en zegt: 'Ik snap het niet.'
'Echt niet?' vraagt Thijs.
'Nou ik wel, want als je niet doet wat hij zegt, pest hij je.'

'Dus jij doet steeds wat hij zegt?' vraagt Isa.
'Ik? Nee, nooit! Ik ben toch niet gek!
Ik ga echt niet doen wat dat joch zegt!'

'En je vrienden?'
'Nou, je ziet het,' zegt Thijs zacht.
'Als Max zegt: "Kom voetballen!" dan gaan ze braaf.
 En heus niet omdat het zo leuk is.
Want zo lollig is dat niet met hem.'

'Hmm,' doet Isa, 'dus jij doet niet wat hij zegt?
En dat maakt hem kwaad.
Hij heeft geen macht over jou en dat maakt hem boos.'
Isa doet haar tas open en pakt haar pen.
Macht, schrijft ze groot op het blok.
Ze staart naar het woord.
Haar pen tikt op het papier.
'Sukkel!' schreeuwt Max op het veld.
'**Kijk eens uit je doppen**!'

Waarom wil hij macht? denkt Isa.
Waarom moet hij de baas zijn?
'We gaan een spel doen,' zegt ze zacht.
Thijs spert zijn ogen open.
'Wát? Nu, hier? En Max dan?'
'Die merkt het niet, we doen heel stil.
Jij bent Max en ik een agent.
Ben je er klaar voor?'
Thijs knikt.

'Max, waarom moet elk kind doen wat jij zegt?'
vraagt Isa zacht.
Ze knikt naar Thijs en lacht lief.
'Toe maar, zeg eens wat.'

'Nou, dat is leuk,' verzint Thijs.

'Leuk?' vaart Isa uit en haar stem klinkt scherp.
'Dus jij vindt het leuk als een kind bang voor jou is?'
'Stil nou!' Thijs legt zijn vinger tegen zijn mond.
'Geef antwoord!' zegt Isa streng.
'Is toch stoer!' zegt Thijs.
'Ik zeg: "Ga in die plas zitten!"
En dan doet zo'n joch dat ook nog.
Is toch lachen?'

'Heeft Max dat echt gedaan?' vraagt Isa boos.
Thijs knikt. 'Bij Jos.'

'En Max, hoe vind jij het, als ze dat bij jou doen?'
vraagt Isa nu.
'Ha! Bij mij? Dat durven ze niet eens.'
'En als een groot, sterk joch dat wel durft?'
Isa kijkt Thijs strak aan.
'Dat joch dwingt jou om in een plas te gaan zitten?
Wat dan?'
Thijs zwijgt en kijkt weg van Isa's blik.

'Dat is het!' zegt ze zacht.
'Daarom wil Max **de baas** zijn.
Hij is bang dat het bij hem gebeurt.'

Bang, schrijft ze op het blok.

'Voor mij is hij echt niet bang,' zegt Thijs zacht.

'Hij is een stuk sterker dan ik.'
'Met zijn spieren wel,' zegt Isa, 'maar niet met zijn hoofd.'
Ze kijkt Thijs trots aan.
'Jij bent heel dapper,' zegt ze en haar pen wijst naar hem.

'Ik? Dapper? Nou, zo voelt het niet.
Ik vind dat ik zwak ben.
Ik durf niet eens naar buiten.
Het liefst meld ik me ziek voor training.'

'Je bent bang, en dat is echt niet vreemd.
Dat heb ik ook als ik gepest word.
Maar toch sluit je je niet bij hem aan.
En dat doen veel kinderen wel.
Die gaan doen wat Max wil.
Ze gaan zelfs jou pesten.
Dat doen ze om Max te vriend te houden.
Ze vinden jou heus niet stom, maar ze zijn bang voor Max.
Zo zit het!'

'Leuk, maar er klopt geen snars van,' zegt Thijs.
'Als ik zo'n held ben, loop ik nu toch het veld op.
Dan pak ik Max de bal af en maak ik een goal.
Maar dat durf ik dus echt niet.'
'Dat zou ook stom zijn om te doen,' zegt Isa.
'Dat weet je zelf maar al te goed.
Dan is het net of je aan Max vraagt:
"Sla mij maar **bont en blauw**."
En wie wil dat nou?
Nee, eerst moet je een wapen hebben.

Pas dan ga je de strijd aan.'

'Hier!' schreeuwt Max op het veld. 'Gast, ik zeg toch:
HIER!'

Isa stopt het schrijfblok en de pen weer in haar tas.
'Weet jij waar Max woont?' vraagt ze.
Thijs schrikt.
'Ja. Hoezo?'
'Omdat we daar nu heen gaan,' zegt Isa.

Thijs

Met zijn hand diep in zijn broekzak loopt Thijs
door de straat.
Af en toe kijkt hij om en ziet Isa een heel eind achter zich.
Wat een **slecht plan**! denkt hij.
Waarom gaan we naar het huis van Max?
Wat valt daar nou te zien?
En wat als Max thuis komt?

Hij voelt aan de kiezels in zijn zak.
Dan kijkt hij weer om naar Isa.
Wat is ze een eind weg!
Dat vind ik echt **niet tof**.
Hij houdt zijn pas in, maar ook Isa houdt haar pas in.
Ze komt niet naar hem toe.
Ze wil niet dat Max ons samen ziet, denkt Thijs.
Dan maar flink de vaart erin.
Dan zijn we klaar voordat Max thuis komt.

Thijs slaat de hoek om, en ziet het huis van Max.
Als dat joch maar niet weer boos wordt.
Straks loopt hij nog kwaad weg van het veld.
Dan staat hij zo voor mijn neus.
Brr, dat wil ik niet!
Thijs rilt van top tot teen, en loopt nog meer door.
Bij het huis van Max haalt hij een hand vol kiezels
uit zijn zak.
Hij knielt en legt ze op een hoop op de stoep.
Dan staat hij op en loopt nog snel wat door.

Plots duikt hij weg tussen twee auto's.
Daar ziet hij hoe Isa net de hoek om komt.
Ze loopt door de straat en speurt de stoep af.
Bij de kiezels blijft ze staan.
Ze haalt een krant uit haar tas en
loopt naar de voordeur van Max.

Thijs houdt zijn adem in.
Er is hier maar één held denkt hij, en dat is zij!
Isa bukt zich.
Het lijkt of ze de krant door de bus wil doen.
Maar ze doet de klep open en gluurt het huis in.
Dan loopt ze naar het raam en tuurt door de ruit.
Ze is gek! gonst het door Thijs zijn hoofd.
Ze weet niet eens of er iemand thuis is!
Als Max nu de hoek om komt en hij ziet haar …

Isa stapt weg bij het raam en komt zijn kant op.
Ze loopt pal langs hem heen en zegt geen woord.
Pas als ze aan het eind van de straat is,
rent Thijs achter haar aan.
Ze wacht hem op bij een bank in een klein park.

'En?' vraagt Thijs, 'zag je iets?'
'Ik denk niet dat er iemand thuis is,' zegt Isa.
'Ik ga nu naar achter om daar te kijken.'
'Ben je niet goed snik!' schrikt Thijs.
'Wat als Max met zijn fiets de tuin in scheurt?
Wat zeg je dan tegen hem?'

'Nou, eh, dat ik mijn poes kwijt ben.
Geef je mobiel eens, die van mij doet het niet goed meer.'
'Je poes?' Thijs draait met zijn ogen.
'Weet je niks beters?'
'Doe niet zo flauw, Thijs!
Heus, ik verzin wel wat.
Ik ga er nu heen.'
'Waar ga je dan naar op zoek?'
Isa haalt haar schouders op.
'Wist ik het maar,' zegt ze.
Ik zoek iets, ik weet niet wat.
Maar ik zoek iets waardoor Max jou niet meer pest.'

Thijs kijkt Isa lang aan.
Ze doet het voor mij, denkt hij.
Voor mij, voor mij, voor mij.
Lief van haar, maar zelf heeft ze het ook moeilijk.
'Ik wil niet dat je gaat,' zegt hij.
'Dat Max mij pest is niet zo erg.
Maar ik wil echt niet dat er iets met jou gebeurt.'
Isa bloost en vlug draait ze zich om.
'Nou, doei, dan ga ik maar,' zegt ze.
'Wacht je hier op me?'

Thijs zit op de bank en wacht.
Hij voelt zich rot.
Wat is hij nou voor een slap joch?
Isa doet nu wat **hij** zou moeten doen.
Het voelt of hij haar in de steek laat, dat is toch geen stijl!
Vlug kijkt hij de straat langs.

Oef, wat een geluk, nog steeds geen Max.
Zijn blik gaat naar de plek waar Isa een steeg in ging.
Waar blijft ze nou?
Er is toch niks ergs aan de hand?
Thijs wil gaan kijken, maar dat kan niet.
Hij moet hier op wacht staan.
Ah, **top**, daar is ze!

Isa komt de steeg uit en gaat naar rechts.
Ze doet net of ze Thijs niet ziet.
Met een vaart loopt ze langs hem heen.
Thijs telt tot tien, dan rent hij achter haar aan.
In de struiken wacht ze hem op.
'En?' vraagt Thijs, 'heb je wat gezien?'
Isa schudt haar hoofd.
'Niet echt, we gaan nog eens als Max thuis is.
Na het eten, als het donker is.'
Thijs krijgt kramp in zijn maag.
'Dan kan ik niet,' liegt hij.
'Dan moet ik trainen.'

Isa

Isa zit op het bed van Thijs.
Ze kijkt nog eens naar de foto's van Max' huis.
Ze zijn mooi scherp, denkt ze.
Ze tuurt naar een hond die slaapt op de bunk.
'Die hond van Max is al heel oud,' zegt ze.
'Die hoort vast niets meer.'
Isa drukt door en een foto van een dik kind komt in beeld.
Die foto hangt in een lijst aan de muur bij Max thuis.
Lief ventje was je vroeger, Max, denkt Isa.
Met een leuk wit hoedje op voor op het strand.
En je lacht zo lief met die ene tand van je.

Ze staat op van het bed.
Wat denk je, is deze goed voor in een mail?
Ze laat Thijs de foto zien.
Hij lacht.
'Is dat Max?
Hoe oud is hij daar?
Zo te zien pas een jaar of twee.
Wat een dik joch, ha, moet je die kin zien.
Ja, die doen we!'

Isa voelt hoe haar buik warm wordt.
Thijs lacht! en dat komt door mij.
Het is voor het eerst dat ik hem zo blij zie.
Echt tof!

'Wat zal ik schrijven?' peinst Thijs.

'Zeg maar, eh,' aarzelt Isa, 'zeg maar:
"Max, jij bent toch zo'n slachter?
Is dit varken dan niks voor jou?"
En dan zet je er die foto bij.'

Thijs lacht en lacht.
'Vet! Dat is echt een goed plan!'
Hij typt snel, maar dan, midden in een zin, stopt hij.
'Nee!' zegt hij kwaad, 'ik doe het niet!
Ik ben toch niet gek.
Max ziet dat het bij mij vandaan komt.
Morgen pakt hij me, dat weet ik nu al.'

'Dat is waar ook, stom van ons!' zegt Isa.
'Laat mij maar, ik schrijf het wel.
Dan ziet hij mijn naam staan.
En mij kent hij niet.'

☺ Lief Lief zegt:
☹☹ Max, check Je mail!!!
Het **varken** dat je ziet lijkt veel op jou! Knor, Knor!!!!
☺☺☺☺

'Ha ha, knor, knor!' Thijs lacht hard.
'Die is goed, dat zal hem leren!' juicht hij.
'Naar wie zal ik die foto nog meer mailen?' vraagt Isa.
'Naar de hele klas!
Laat hem maar voelen hoe het is om voor gek te staan.'
Isa voegt de foto toe aan een mail en drukt op send.
Snel typt ze een bericht.

☺ Lief Lief zegt:
☹☹ Nu ik nog ff goed kijk …
ja, ik weet 4-sure dat jij het bent Max!!! ☺☺
Die poten van jou zien er nu nog net zo vet uit als toen!
Knor, Knor!!!

'Klopt dat wel?' vraagt Isa.
'Niet echt,' lacht Thijs.
'Maar wat maakt dat nou uit?'

☺ Lel Bel zegt:
Is dat echt een foto van Max? Lache!!!

☺ Top Lot zegt:
Echt niet leuk!!! ☹☹ Wie de hel is die Lief Lief??????
☹☹☹☹☹

☺ Lel Bel zegt:
☹☹ **Kwee niet** ☹☹

☺ Top Lot zegt:
☹☹ Met zo'n foto loop je toch Max te fokke!!
Dat doe je toch niet!!!!! ☹☹

☺ Lel Bel zegt:
☹☹☹ **Max zal wel $tinking woest zijn** ☹☹☹

☺ Top Lot zegt:
☹☹ Als ik die meid zie, krijgt ze een knal!!! ☹☹☹

Isa staart naar het scherm.

'Vreemd,' zegt ze, 'die meiden nemen het op voor Max.'

Thijs snuift kwaad.

'Het lijkt wel of ze verliefd zijn op dat joch.'

Isa schudt haar hoofd.

'Nee, dat denk ik niet.

Ik denk dat ze heel erg bang voor hem zijn.'

☹☹☹ Slachter M zegt:
Hahahaha! Die foto!!!! Wat is dat voor grap??? ☹☹**Ik lach me scheel, maar niet heus!!!** ☹☹☹

☹☹☹ Slachter M zegt:
☹☹☹**Als ik die Lief Lief** ☹**bitch te pakke krijg, gaat ze eraan!!!** ☹☹☹

☺ Lel Bel zegt:
☺☺☺ **Hahahahahahahaha**! ☺☺☺
Goed plan!!!! ☺☺☺

☹☹☹ Slachter M zegt:
Ik zag Thijs met een meid ☹☹☹
Heeft die rat een liefje? ☹☹☹

☺ Top Lot zegt:
☺☺☺ **Hahaha**!!! ☺☺ **Lijkt me niet**!!! ☹☹ Wie wil nou het liefje zijn van zo'n gast??? ☺☺☺

'Ik doe dat ding uit!' zegt Isa.
Boos drukt ze op een knop.
'Ik word er niet goed van, wat een naar stel.'
'Hoe kan dat nou?' vraagt Thijs bang.
'Max zegt dat hij ons gezien heeft.
Waar dan?
Ik snap er niets van.'
Hij **bijt** hard op zijn **nagel** en staart naar het scherm
dat nu zwart ziet.
'Eén ding weet ik wel,' zegt hij na een poos.
'Het duurt niet lang en dan weet Max
dat jij hier ook woont.'

Thijs

'Hoe ging het op school?' vraagt Isa aan Thijs.
Ze komt dicht bij hem staan en kijkt hem recht aan.
Thijs voelt haar arm tegen die van hem.
Dat vindt hij fijn, maar toch wendt hij zijn hoofd af.
'Ging wel,' zegt hij zacht.
'Had Max het nog over mij?'
'Maar een keer of duizend.
"Thijssie heeft een meissie," riep hij steeds
en dan nog veel meer.'

'En de foto?' vraagt Isa.
'Werd daar over gepraat?'
'Niet echt, maar ...' Thijs zwijgt.
'Maar wat?'
'Nou, het leek wel of Max nog sneller kwaad werd.'
'Wat dan?'
'Het was raar.
Tom en Bo waren aan het dollen.
Toen werd Max toch link!
Hij schreeuwde: **"Lach me niet uit!**
Of ik sla je tot moes!"'

'Echt?' Isa straalt.
Ze lacht zo blij dat Thijs er warm van wordt.
'Chill! Max wordt bang!' juicht ze.
'Het is, denk ik, voor het eerst dat hij het mikpunt is.
Nu weet hij ook hoe het voelt.
Check je mail eens?'

☹☹☹ Slachter M zegt:
☹☹☹ **Rat, ben je daar?** ☹☹
Weet nu op welke school die bitch van jou zit!!!! ☹☹
Morge pak ik haar! ☹☹☹

Thijs voelt zich bleek worden.
Hij deinst weg van het scherm.
'Hoe kan dat?' kreunt hij.
'Hoe weet Max op welke school jij zit?'

'Hij bluft,' zegt Isa.
Koud staart ze naar het scherm.
Haar stem klinkt hard.
'En als hij het wel weet … mij een biet.
Ik ben niet bang voor dat joch.'

Thijs kijkt op naar Isa.
Haar mond staat strak, haar ogen staan kwaad.
Hij krijgt kramp in zijn maag.
Mijn schuld, denkt hij, het is mijn schuld.

'Thijs?' klinkt mams stem.
'Thijs, het is half vijf, moet je niet naar voetbal?'
Mooi niet, denkt Thijs, ik wil Max nu echt niet zien.
Voor geen goud!
'Er is geen training,' roept hij.
'Het veld is niet vrij.'
In de gang blijft het stil.
Isa kijkt hem vragend aan.

'O,' zegt mam dan, 'maar je blijft toch niet in huis?
Jullie gaan er toch wel op uit?'
'We gaan zo!' roept Thijs.

'Ga je echt niet naar training?' vraagt Isa.
'Ik heb geen zin,' zegt Thijs.
'Je moet juist wel gaan!' Isa kijkt hem fel aan.
'Loop toch niet weg voor Max!'
Thijs' hoofd zakt op zijn borst.
Wat ben ik toch slap, denkt hij,
maar ik durf echt niet.

Isa loopt op en neer door de kamer van Thijs.
Ze gluurt door het raam, loopt dan weer door.
Nu blijft ze staan en kijkt naar de poster.
'Ik ga mee!' zegt ze.
'Ik maak weer foto's.
We zetten nu door, Thijs.
Elke dag plaats ik een foto van Max op de mail.
Dan weet hij dat wij niet bang voor hem zijn.'

Thijs slikt. **Ik niet bang?**
Hoe komt ze daar nou bij?
'En als Max jou dan aan het werk ziet?
Dan weet hij gelijk wie die foto van hem
op de mail gezet heeft.'
'Nou en?' Isa geeft haar hoofd een ruk.
Haar kin steekt ze in de lucht.
Ze loopt naar de kast en haalt er iets uit.
'Hier zijn je schoenen, trek aan, want we gaan.'

Als Thijs op het veld staat, komt Max op hem af.
Hij gaat pal voor hem staan en kijkt Thijs strak aan.
Let niet op hem, denkt Thijs.
Doe net of je hem niet ziet.
'Nu spant het erom,' zegt trainer Kees Punt.
'Wie komt er in D1 en wie in D2?
Die mensen langs de lijn maken de keus.
Niet ik.
Dus wil je een plek in D1, doe dan je best!'
Kees Punt kijkt naar Thijs.
Thijs knikt, maar denkt aan Max.
Met die gast in de buurt, krijg ik geen kans.

Hij tuurt naar de rand van het veld.
Waar is Isa?
Net zat ze nog in de bosjes, maar nu?
Hij draait zijn hoofd.
Zijn blik schiet snel heen en weer.
'Ga naar dat doel,' wijst Kees Punt.
'En jullie zes, naar dat doel.'
Thijs veert op.
Top! Ik zit niet bij Max!
Hij holt met zijn groep mee.
Maar ook zoekt hij om zich heen naar Isa.
Ha, daar is ze!
Ze rent hard naar het clubhuis, en dan is ze uit het zicht.

Thijs kijkt snel naar Max.
Hij houdt de bal hoog en heeft niets gezien.
Kijk hem zijn best doen, denkt Max zuur.

Wat wil dat joch graag in D1.
Nou, als hij erin komt, hoef ik niet eens.
'Thijs, doe je ook nog mee?' klinkt de stem van Kees Punt.
'Schiet op, om die pion heen en scoren!'
Thijs pakt een bal, maar hij zoekt ook weer snel naar Isa.
Daar gaat ze!
Ze sluipt over het terras, en maakt zich klein bij een stoel.
Nu rent ze naar het veld en duikt weg achter de dug-out.
Thijs kreunt: ze is gek!

'Thijs !!!' brult Kees Punt.
Thijs krijgt een por van Joost.
Hij schrikt op, spurt weg en schiet op het doel.
Mis. Man, wat ging dat fout!
Kees Punt schudt zijn hoofd.

Snel rent Thijs naar de bal.
Isa ligt nog steeds bij de dug-out.
In haar hand houdt ze haar mobiel.
Thijs knielt neer en trekt zijn schoen uit.
'Zit een steen in,' roept hij naar Kees Punt.
Hij gluurt naar Max.
Die rent en springt en kopt en schuift.
Zijn hoofd ziet rood, zo flink doet hij zijn best.
Pff, die sukkel heeft niets door.

'Thijs, komt er nog wat van?' schreeuwt Kees Punt.
'Een steen!' roept Thijs weer.
Isa staat op en loopt weg van het veld.
Laat haar gauw naar huis gaan! denkt Thijs.

Hij sprint naar zijn groep.
Nu laat hij ze zien dat hij in de D1 hoort!
Hij let goed op Kees Punt en doet wat hij zegt.
Hij is nu weer 100 % bij de les.

Nog één keer dwaalt zijn blik af naar Isa.
Wát? Met wie praat ze nu?
Dat zijn twee meiden uit mijn klas.
O nee, als ze zich maar niet verraadt.'

'Wat kijk je nou steeds naar die meid!'
klinkt de stem van Kees Punt boos.
'Kom op, Thijs, **doe eens je best**,
ik weet dat je het kunt.
Verknal het nou niet.
Meiden, dat is iets voor als je groot bent.'
Thijs knikt.
Hij ziet Isa met die twee meiden door het hek gaan.
Shoot! Als dat maar goed gaat …

Isa

Isa komt uit school en kijkt vlug om zich heen.
Ze maakt zich klein en rent naar haar fiets.
'Ik rij een stuk met je mee,' zegt ze tegen Kim.
'Leuk, maar je moet toch niet mijn kant op?'
'Klopt, maar ik heb geen haast en fiets graag met je mee.
Niet zo ver hoor, een klein stuk maar.'
'Nou leuk,' zegt Kim weer, 'dan gaan we.'

'Komt je moeder weer gauw thuis?' vraagt Kim.
'Nee, nog lang niet,' zegt Isa en ze speurt naar Max.
Wacht dat joch haar soms op?
'Het gaat nog niet zo goed met mam,' zegt ze.
'Ik mag niet eens bij haar langs gaan.'
'Echt niet? O, dat lijkt me zo erg.'
'Is het ook,' zegt Isa.
'De dokter wil dat ik wacht.
Na een poos knapt ze wel op en dan mag ik gaan.'

In de bocht van de weg remt Isa af.
Ze kijkt goed rond, maar ziet Max niet.
'Mis je je moeder?' vraagt Kim.
'Heel erg,' zegt Isa, 'en pap ook.'
'Ga je met mij mee naar huis?' vraagt Kim.
'Ik heb een nieuw spel, dat is echt gaaf.'
Isa schudt haar hoofd.
'Nu niet, ik ga hier naar rechts, doeg!'

Isa zwaait en slaat een straat in.

Met een omweg fietst ze naar het huis van Thijs.
Dat huis is nu ook haar huis, maar zo voelt het niet.

'Hoi,' zegt ze als ze de keuken in stapt.
'Is Thijs er al?'
'Ha Isa,' zegt mam, 'wat ben je laat.
Hoe was het op school?'
'Leuk.' Isa hupt en springt.
Ze wil graag naar Thijs, maar durft niet door te lopen.
'Thijs zit weer eens op zijn kamer.
Ik weet niet wat hij daar steeds doet.'
'Ach ja,' zegt Isa en ze lacht maar wat.
'Nou dag.' Vlug loopt ze de trap op.

'En?' vraagt ze als ze Thijs ziet.
Hij tuurt boos naar het scherm en zegt niets.
Hij draait zich zelfs niet naar haar om.
'Wat vond Max van de tweede foto?'
Isa pakt een stoel en schuift hem naast die van Thijs.
Snel leest ze de tekst op het scherm.

☺ Lel Bel zegt:
Weet nu wie Lief Lief ☺ bitch is!!!!
Isa Smit heet ze. ☹☹ Tis een vriendin
van me nicht!!! Ze woont in de stad ☺☺☺

☺ Top Lot zegt:
Echt??? Dus jij kent die bitch??? ☹☹☹

☺ Lel Bel zegt:

Ze was op feest van me nicht ☺☺☺

☺ Lel Bel zegt:
☺ Best zielig ☺ Haar pa is dood en haar ma spygisch of zo.
☺☺ Ze zit in huis voor gekke. ☺☺

☹☹☹ Slachter M zegt:
☹☹☹ **hahahah!!!! K wist het!!!**
Die Lief Lief trut is zo gek als een deur.
☹☹☹
Net zo'n ½ gare als haar ma. ☹☹☹

☹☹☹ Slachter M zegt.
☹☹☹ **Weg met die meid!!!!** ☹☹☹
Gekke horen in een hok!!!!!!!!! ☹☹☹

Isa zakt weg in haar stoel.
Haar hand valt slap in haar schoot.
Haar ogen gaan dicht.
Ze voelt zich moe, heel erg moe.

'Wat gemeen!' hijgt Thijs.
'Echt heel, héél gemeen!
Wat kan jouw moeder er nou aan doen?'
Isa krijgt een nare smaak in haar mond.
Ze voelt dat een traan langs haar wang rolt.
Ik huil, denkt ze, en weer rolt er een traan langs haar wang.

'Dat Max op mij scheldt, pff, hij doet maar.
Maar dat hij over jou en je moeder begint …

Wat een naar, stom, naar rot joch!'
Thijs typt kwaad woord na woord.
Hij is woest! denkt Isa.
Ze kijkt naar het scherm en ziet wat hij schrijft.

☺ Fan van Ginkel zegt:
☹☹**FF dimmen, Max!!!!**
Isa sluit haar ogen.
Haar hoofd steunt zwaar op haar hand.
Een traan drupt op haar broek.
'Isa,' zegt Thijs zacht.
Hij legt zijn arm om haar schouder.
'Isa, toe nou.'

Ze huilt en huilt, haar lijf schokt op en neer.
Ze wil wel stoppen, maar dat lukt niet.
Thijs knielt voor haar.
Hij legt nu ook zijn rechter arm om haar heen.
Hij trekt haar naar zich toe en wiegt haar zacht.
'Isa, toe nou.'

'Laat me maar,' snikt ze.
Ze maakt zich los en vlucht naar haar kamer.
De deur gooit ze dicht en ze valt op het bed.
'Mam!' roept Thijs. 'Mam, kom snel!
Er is iets met Isa!
Het gaat niet goed met haar.'

Thijs

Die avond zit Thijs, zonder Isa, bij pap en mam aan tafel.
Isa is nog maar kort in huis.
Toch voelt het vreemd als ze er niet bij is.
Thijs prikt wat in zijn vlees.
Hij schuift een spruit van links naar rechts over zijn bord.
Geen **hap** krijgt hij door zijn **keel**.
Niet nu Isa zo bedroefd is.

'Het komt wel weer goed met Isa,' zegt mam.
'Het is echt niet gek dat ze veel huilt.
Ze is alles kwijt en dat voor zo'n jong kind.'
Mam staart naar haar bord.
Ook zij eet niet veel.
Pap legt zijn hand op Thijs' arm en klopt er zacht op.
Dan tilt mam haar hoofd op en kijkt Thijs recht aan.
'Maar het komt goed, Thijs, echt het komt goed.
Laat haar nu maar met rust.'

Nee, denkt Thijs, het komt nooit meer goed.
En dat is mijn schuld!
Ik had niet zo **laf** moeten zijn.
Ik kan toch wel zelf Max aan?
Daar heb ik haar toch niet voor nodig?
'Ik hoef niet meer,' zegt hij schor.
Hij stoot zijn bord van zich af en loopt naar de gang.
'Thijs!' roept mam, 'Thijs, kom, eet nou wat.'

Thijs gooit zich op zijn bed.

Zijn hoofd stopt hij diep in het kussen.
Mijn schuld, dreunt het in zijn hoofd, het is mijn schuld!
Isa huilt door mij, o, wat erg!

Pas veel later staat Thijs weer op.
Hij weet wat hij moet doen, en dat is maar één ding.
Hij moet doen, wat Isa van plan was: Max een les leren.
Max moet voelen hoe het is als een kind je pest.
En hij moet Isa zeggen dat het hem **spijt**.

Thijs trekt zijn zwarte vest weer aan.
Hij stopt zijn mobiel in zijn zak.
Tot slot kijkt hij naar zijn poster.
'Help me **Van Ginkel**,' zegt hij zacht,
'want als Max me ziet, dan …'
Hij slikt. Nee, denk er niet aan!
Nu valt zijn oog op zijn computer. Zal hij?
Nee, hij balt zijn vuist.
Hij kijkt niet meer naar zijn mail.
Max zegt het nu maar recht in zijn gezicht.
Als hij dat al durft.
Thijs klikt op de muis en sluit af.

Thijs kijkt om de hoek van de deur.
'Gaat het weer?' vraagt mam.
Thijs knikt.
'Isa slaapt,' meldt mam.
Weer knikt Thijs en hij zegt: 'Ik ga nog even weg.'
'Nu nog?' vraagt mam.
'Waar ga je heen?'

Ze kijkt uit het raam.
'Het wordt zo donker.'
'Laat hem toch,' zegt pap.

Thijs loopt naar de gang en zet zijn pet op.
Mijn fiets laat ik thuis, denkt hij, als hij de tuin uit loopt.
Ik wil niet dat Max hem ziet staan.
Thijs sluipt naar de straat waar Max woont.
Als hij een fietser ziet, duikt hij weg.
Stel dat het een kind is uit zijn klas!
Niemand mag hem zien.
Hij voelt zich net een **dief in de nacht**.

Mooi, denkt Thijs als het donker wordt.
Nu kan Max mij niet goed zien.
Hij haast zich naar de straat van Max.
'Nu kalm aan,' zegt hij zacht als het niet ver meer is.
Hij kijkt een huis in, en ziet een man met een krant.
Nog een huis of drie en dan is hij bij Max.

Thijs loopt nu heel traag.
Hij wil niet naar Max, hij wil naar huis!
Draai om, draai om! galmt het in zijn hoofd.
'**Loop door**!' zegt hij boos op zichzelf.
Maar wat als Max uit het raam kijkt en mij ziet?
Help, dan komt hij naar buiten en, en ...
Thijs wendt zijn hoofd snel van het huis af.
'Hou op! En dan niks!' zegt hij streng.
'Kom op, man, stel je niet zo aan!'

Thijs gluurt door het raam van Max' huis.
Daar, op de bank, zit Max dicht naast zijn moeder.
Zijn hoofd rust op haar borst.
Foto! denkt Thijs.
Hij tast snel in zijn zak naar zijn mobiel.
Hij gaat dicht bij het raam staan en richt op Max.
Net als hij op de knop drukt, gaan de lantaarns aan.

Shoot! flitst het door Thijs' hoofd.
Ik sta vol in het licht!
Max tilt zijn hoofd op en tuurt uit het raam.
O nee, hij ziet me!
Thijs vlucht weg, zo hard als hij kan.

Thijs

Aan het eind van de straat waar Max woont,
zit Thijs in een voortuin.
Hij zag me! raast het door zijn hoofd.
Max keek mijn kant op!
Wat nu? Shoot! Wat nu?
Zijn hart klopt woest, zijn bloed suist in zijn oor.
Kalm nou, man! praat hij op zichzelf in.
Dit schiet niet op, Thijs, je moet kalm zijn!

Thijs wacht en wacht en vreest al die tijd het ergste.
Maar het blijft stil in de straat.
Na een poos gluurt hij naar het huis van Max.
Ook daar is niets te zien.
Pff, blaast Thijs, wat een **mazzel**.
Ik was voor niets zo bang, Max zag me toch niet.
Maar ik kan niet nog eens voor zijn huis gaan staan.
Toch heb ik wel een foto nodig.
Hoe ga ik dat doen?

Dat weet je best! klinkt een stem in zijn hoofd.
Nee! denkt Thijs, nee, dat wil ik niet, niet naar dat pad!
Bang brengt hij zijn hand naar zijn mond.
Dat pad is heel smal en donker, zei Isa.
En aan het eind loopt het dood.
Als Max merkt dat ik daar zit, komt hij op me af.
Dan zit ik in de val.
Nee echt, dat doe ik niet.

Thijs bijt op zijn knokkels.
Wat moet hij nou doen?
Dan beukt hij met zijn vuist in zijn hand.
Man, wat ben jij een **watje**!
Schiet op, je wilt Isa toch helpen?

Thijs sluipt de tuin uit en rent de hoek om.
Daar ziet hij het pad dat achter het huis
van Max langs loopt.
Als een grot zo zwart, wacht het hem op.
'Kom op, gaan!' sist hij zacht.
Hij haalt diep adem en loopt die kant op.

Al na een pas of vier ziet hij niets meer.
Hij steekt zijn hand uit en tast om zich heen.
Links en rechts voelt hij een wand van planken.
Dat moet een schutting zijn, denkt hij.
Iets veegt langs zijn wang en bijna geeft hij **een gil**.
Doe dan je lamp op je mobiel aan! denkt hij.
Maar wat als hij leeg gaat?
Dan kan ik nog geen foto maken.

Op de tast loopt hij door.
Zou ik al bij het huis van Max zijn?
Hij hijst zich aan een schutting omhoog.
Zijn voet bonkt tegen het hout.
Een hond blaft woest en springt tegen een raam op.
Thijs schrikt en valt in een tuin.
Als ze die hond maar niet uit het huis laten!
Vlug, **weg hier**!

Snel kruipt hij langs een struik.
Hij komt bij een muur en klimt erop.
Hij duwt een tak weg en gluurt een huis in.
Hé, dit huis zag ik net ook.
Ik herken de lamp en die plant voor het raam.
Het staat dicht bij het huis van Max.

Thijs speurt langs de gevels.
Plots houdt hij zijn adem in.
Daar, een poster van Feijenoord!
Dat huis moet het zijn.
Hij springt van de muur en sluipt weer door een tuin.
Weer klimt hij over een muur en dan blijft hij staan.
Hij ziet een breed balkon en een kamer waar licht brandt.
En in dat licht staat Max.

Thijs **hapt naar lucht**.
Daar heb je hem!
Max haalt iets uit een kast en loopt naar de gang.
Bij een klein raam gaat het licht aan.
Vaag hoort Thijs het geruis van water.
Hij gaat onder de douche, dit is mijn kans!
Ik moet naar dat balkon toe.
Als ik daar ben, maak ik een foto van zijn kamer.

Thijs tuurt naar het huis.
De pa en ma van Max zitten voor de tv.
Nu kijkt hij naar een schuur.
Eerst klim ik daar op, denkt hij.
Dan stap ik op die muur, en loop naar het huis toe.

Ik klim op het balkon en ga over het hek heen.
Zo kom ik bij het raam van Max.
Ja, dat is een goed plan.

Bij de schuur gaat Thijs op een stoel staan.
Hij springt op en grijpt de rand van het dak vast.
Hij trekt zich op en slaat zijn been over de rand.
Hij werkt zich het dak van de schuur op.
Als een **worm** schuift hij op zijn buik over het dak.
Zijn trui wordt nat en vies.
Maakt niks uit, denkt Thijs, als ze me maar niet zien.
Daar gaat het om.

Thijs stapt op de muur.
Voet voor voet loopt hij naar het huis toe.
Oei! Hij wankelt en valt net niet.
Vlug pakt hij het hek van het balkon vast.
Zijn hart bonkt in zijn keel.
O man, bijna ging het mis!

Thijs

Thijs trekt zich op aan het hek van het balkon.
Door het raam hoort hij Max vals zingen.
'Het is stil aan de overkant!' loeit Max hard in de douche.
'Niet zo stil als jij denkt, gast.' Thijs lacht zacht.
Als hij eens wist dat ik hier stond …
Dan stormt hij zo in zijn **blote gat** naar buiten.
Thijs grijnst vals.
Ha! Dat zou pas een foto zijn.
'Het is stil aan de …' zingt Max weer.
Maar wacht eens, als ik nou eens … denkt Thijs.

Hij kijkt naar het open raam.
Daar staat Max te douchen.
Zal ik nú een foto van Max maken?
Max in zijn nakie, dat wordt leuk!
Dan durft hij nooit meer naar school.
Dan weet hij ook hoe dat voelt.
Nee. Thijs stapt weg bij het raam.
Nee, dat mag ik niet doen, het gaat te ver.
Dat is zo erg, dat heeft zelfs Max niet verdiend.

Thijs sluipt naar het raam van Max' kamer.
Hij drukt zijn rug in de muur en
gluurt om een hoek naar binnen.
Daar ziet hij het bed van Max.
Feijenoord staat groot op de hoes van zijn dekbed.
Naast het kussen ziet Thijs een aap.
Het beest heeft een sportbroek aan.

En hij draagt handschoenen om mee te **boksen**.

Cool, zo'n aap, denkt Thijs, die wil ik ook wel!
Maar dan duwt hij dat idee snel weg.
Wat is Max toch een stom joch! denkt hij nu.
Elf jaar en hij slaapt nog met een knuffel.
Dat doe je toch niet!
Snel maakt hij een foto en de flits licht fel op.
Shoot! Thijs maakt zich zo klein als hij kan.
Is er iemand die de flits zag?
Thijs kijkt naar de huizen in de buurt.
Mooi zo, het blijft stil.

De douche is nu uit en Max is weer op zijn kamer.
Thijs gluurt door het glas en krijgt de schrik van zijn leven.
Help! Max staat pal voor het raam!
In zijn pyjama kijkt hij naar buiten.
Thijs laat zich plat op zijn buik vallen.
Goed dat ik een pet op heb! schiet het door zijn hoofd.
Max schuift met een ruk het gordijn dicht.

Pas na heel lang kijkt Thijs weer op.
Het raam is zwart.
Daar kan ik niks meer door zien, denkt hij sip.
Wat een pech, dat wordt dus geen foto.
Plots schuift het gordijn weer met een vaart naar de kant.
Pas op! Thijs ligt stijf tegen de muur aan.
Max bonst hard tegen het raam.
'Zit je weer klem, stom ding!' scheldt hij.
En weer bonst hij hard met zijn vuist.

Dan vliegt het raam open.
'Dat dacht ik ook,' zegt Max, '**ik ben hier de baas**,
stom raam, en niet jij.'
Hij zet het raam vast met een haak.
Roetsj! Het gordijn gaat weer dicht.

Thijs durft niet te gaan staan.
Niet nu zijn hart zo wild slaat.
Dat scheelde niets of Max had hem gezien.
'Pof, pof, pof,' hoort hij door het raam.

Van diep uit het huis klinkt een deurbel.
Steeds weer drukt iemand hard op de bel.
Het klinkt boos.

Thijs duwt zich op en knielt.
Hij steekt zijn hand door het raam en pakt het gordijn beet.
Hij tilt het een beetje op en gluurt door de spleet.
Ha! Daar ligt dat joch met zijn aap.
Kijk hoe lief hij speelt met het beest.
Dit geeft een mooi plaatje.
De haat gloeit in Thijs' buik.
Nu heeft hij Max te pakken.

'Pof, die is raak!' zegt Max.
Hij houdt de aap bij zijn armen vast en bokst in de lucht.
'Wil je er nog een? **Pof**. **Pof**.'

Net als Thijs Max goed in beeld heeft,
klinkt uit het huis een stem.

'Ik wil met hem praten, nu!' zegt de stem fel.
Wát? Thijs schrikt zich naar.
Hij drukt niet af, maar laat lam zijn hand zakken.
'Isa?' zegt hij zacht, 'wat doet zíj hier?'

Isa

Isa staat oog in oog met de moeder van Max.
De vrouw houdt de deur vast.
Ze lijkt klaar om hem voor Isa's neus dicht te doen.
Isa zet zich schrap.
'Ik wil met hem praten, nu!' zegt ze fel.
Ze ziet er heel kwaad uit.
Haar blik is hard, haar mond strak.
Ik ga Max zeggen wat ik van hem denk!
raast het door haar hoofd.
En zijn pa en ma ook.

De vrouw kijkt Isa kil aan.
'Wat doe je hier?' vraagt ze.
'Wat wil je van mijn Max?
Wil je hem nog meer pesten?
Hoelang ga je daar nog mee door?
Wil je soms dat hij niet meer naar school durft?
Is dat je doel?'

Isa zet grote ogen op.
Wát? Wij **hém** pesten?
Waar heeft dat mens het over?
Ze steekt haar kin in de lucht en kijkt de vrouw strak aan.
'Ik wil hem spreken,' zegt ze weer, 'kan dat?'
Ze kijkt langs de vrouw de hal in.

'Jij durft wel, zeg!' vaart de moeder van Max kwaad uit.
'Hoe durf je aan de deur te komen, naar kind dat je bent.'

De vrouw ziet nu rood, het zweet staat op haar lip.
Breed als een paard staat ze in de deur.
'Ik weet hoe erg je hem pest.
Jij en die Thijs.
Max praat er vaak over.'

'Hoe komt u dáár nou bij?' vraagt Isa.
Ze snapt er geen snars meer van.
'Heeft Max dat aan u verteld?'

'Nu geen praatjes meer!' raast de vrouw door.
'Ik weet maar al te goed wat jullie doen.
Twee tegen één, bah! wat een naar stel!'
'Maar,' zegt Isa.
'Niks maar,' zegt de vrouw.
'Kom niet met smoesjes bij mij aan.
Daar trap ik echt niet in.
Ik zie toch hoe Max uit school komt.
Dag in, dag uit sluit hij zich op in zijn kamer.
Uur na uur.
Die arme knul.
Het liefst speelt hij buiten, maar nu durft hij niet meer.'

'Nou, ik zag hem gister nog op het veld,' zegt Isa kwaad.
Nu moet dat mens **kappen met die praat**, denkt ze.
'Zie je wel, ik wist het!' roept de vrouw uit.
'Jullie volgen hem door de buurt om hem dwars te zitten,
waar hij ook naartoe gaat.
En weet je wat zo erg is?'
Ze buigt zich naar Isa toe en kijkt haar **vuil** aan.

'Dat Max zijn voetbal erdoor lijdt.
Hij is de beste van zijn team.
Hij traint zich uit de naad.
En hij snapt heel goed hoe het spel gaat.
Hij hoort thuis in de D1.
Maar door dat gepest van jou en Thijs ...'
De vrouw tikt met haar vinger hard op Isa's borst.
'Door dat gepest van jou en je vriend,
is Max echt uit zijn doen.
Hij scoort haast nooit meer.
Is dat nou niet erg?'
De vrouw richt zich op.
'Zo is het toch, Aad?' roept ze de gang in.
'Zeg ook eens wat!'

'Nee!' zegt Isa, 'er klopt niets van.
Max liegt!
Hij pest juist ons en niet wij hem.
En dat joch is maar goed in één ding en dat is dreigen,'
snauwt Isa.
'En, o ja, schelden kan hij ook heel goed.'

De vrouw veegt met haar hand door de lucht,
en duwt zo Isa's woorden van zich af.
Ze buigt zich weer naar Isa toe.
'Mijn man snapt het niet,' sist ze.
'Hij denkt dat het aan Max zelf ligt.
Dat hij nog meer zijn best moet doen.
Maar dat is onzin, hij doet er echt alles aan.'

'Ik denk dat uw Max niet goed genoeg is voor de selectie,'
zegt Isa.
'Heeft u daar wel eens aan gedacht?'
De vrouw kijkt haar zo woest aan,
dat Isa snel weg stapt van de deur.
Nu snap ik het! denkt Isa.
Nu weet ik waarom Max Thijs pest.
Het gaat niet om macht, maar het gaat om een plek in D1.

'**Pas op, meid!**' dreigt de moeder van Max.
'Kom nooit meer in de buurt van mijn zoon, want dan …'
Met een klap slaat de deur voor Isa's neus dicht.

Thijs

Thijs staat op het balkon.
Hij gluurt onder het gordijn door.
Hij hoort de stem van de mam van Max.
Zo! **Wat schreeuwt dat mens,** denkt hij.
Af en toe hoort hij Isa's stem.
Ook zij klinkt flink boos.

Wat doet Isa hier? denkt Thijs.
Ze zal toch niet naar me op zoek zijn?
Als ze maar niet naar me vraagt.
Straks gaan Max en zijn pa en ma ook naar me op zoek.
Dan doen ze de lamp in de tuin aan.
O nee, dan sta ik in het licht en zien ze me!

Max duwt zijn dekbed weg.
Hij glipt uit bed en loopt zacht naar de deur.
Met zijn aap in zijn arm gluurt hij de gang in.
Zijn oor richt hij naar de trap toe.
Er komt een grijns op zijn gezicht.
Die grijns ken ik! denkt Thijs.
Zo kijkt hij ook als hij mij te grazen neemt.
Maar nu gaat het om Isa.
Wat is er toch aan de hand?

Thijs' hand jeukt.
Het liefst zou hij die grijns van Max zijn snuit slaan.
'Max liegt!' schreeuwt Isa in de hal.
Weer grijnst Max, zijn aap vliegt door de lucht.

Hij vangt hem op en laat hem tegen de muur boksen.

Thijs baalt, hij hoort niet goed wat er gezegd wordt.
Hij steekt zijn hand door het raam en
trekt het wat meer open.
In de hal slaat de voordeur dicht.
Een dreun klinkt door het huis.
Max spurt naar zijn bed en duikt erin.
Iemand loopt de trap op.

'Wie was dat, mam?'
Zijn moeder staat nu in de deur.
'Ach, knul van me,' zegt mam.
Ze neemt plaats op de rand van het bed.
Ze strijkt het haar van zijn voorhoofd.
'Maak jij je maar geen zorgen.
Van die **meid** heb jij **geen last meer**.'

Thijs schrikt.
Wat heeft dat mens met Isa gedaan?
'Echt niet, mam?' vraagt Max op een toon
die Thijs niet van hem kent.
Thijs gluurt naar Max.
Hij ligt met zijn aap tegen zijn moeder aan.
'Slaap goed, schat, die meid laat jou nu met rust.'

Foute boel! denkt Thijs.
Ik moet hier weg, ik moet weten hoe het met Isa is.
Hij werpt nog één keer een blik op het bed.
De hand van Max schuift over het dekbed en

gaat naar zijn mond.
Het zal toch niet … denkt Thijs. Het kan toch niet dat …
Thijs houdt zijn adem in.

Max mond gaat open en de duim …
Nee, dat kan niet! denkt Thijs.
Die gast steekt hem in zijn mond!
Hij zuigt als een klein kind op zijn duim!
Hier móét ik een foto van maken.
Nu heb ik hem beet!
Nooit zegt hij meer iets naars tegen mij.

Thijs steekt zijn mobiel onder het gordijn door.
Op het scherm ziet hij hoe de mam van Max gaat staan.
Nu heeft hij Max vol in beeld.
Loom kijkt hij in de lens met zijn duim in zijn mond.
De snuit van de aap ligt in zijn nek.
Nu! Thijs drukt op de knop.
Een flits verlicht de kamer.

Een tel lang is het stil, **heel erg stil**.
Traag draait Max zijn hoofd naar zijn moeder.
En zij draait haar hoofd traag naar hem.
Weg, nu! jaagt het door Thijs' hoofd. Snel!
Hij klimt over het hek van het balkon.
'Wat was dat?' vraagt de mam van Max. 'Onweer?'
'Het leek meer op een flits,' zegt Max.

Thijs hangt aan het balkon.
Hij zwaait met zijn benen en grijpt spijl na spijl beet.

Trap niet tegen het raam! denkt hij.
Want dat hoort die pa en dan staat hij zo in de tuin.

Boven zijn hoofd klinkt een stem.
'Wat staat het raam ver open,' zegt Max' mam.
'Heb jij dat gedaan?'
'Nee, net zo ver als anders,' zegt Max.
'Hoe kan dat dan?'
De stem van de vrouw klinkt luid,
alsof ze haar hoofd door het raam steekt.

Thijs kan nu met zijn voet bij de muur.
Max' mam opent de deur naar het balkon.
Thijs gaat op de muur staan.
Vlug laat hij zich zakken in de tuin van de buren.
Met zijn pet diep in zijn ogen **kruipt hij weg**
in een struik.
De mam van Max buigt over het hek van het balkon.
'Kijk jij met pap in de tuin!' roept ze naar Max.
Mens, schreeuw niet zo, denkt Thijs bang.
Straks komt de buurman ook nog zijn huis uit.

'Max!' klinkt nu de stem van Isa van achter uit de tuin.
'Max, ben je daar?
Ik moet je spreken!'
Thijs voelt een steek in zijn buik.
Wat doet Isa nou?
'**Wát**! Ben jij dat weer,' blèrt de mam van Max.
'Wacht maar, meid, ik kom naar je toe!
Nu pik ik het niet meer.'

Een deur piept en Max loopt met zijn pa de tuin in.
'Aad daar, bij de schutting zit een meid. Snel!'
'Een meid? Moet ik daarom mijn stoel uit?'
De pa van Max snuift boos.
'Wat wil je dan dat ik doe?'
'Pak haar! **Of bel de politie**! Ook best. Maar doe wat!'

'Ik doe niks, Max lost het zelf maar op.
Ik denk dat hij wel weet wat die griet hier komt doen.
Is het niet, Max?
Heb je een afspraak met die meid?
Richt je toch op je sport, man!
Daar heb je veel meer aan.
Schiet nu maar op, het huis in jij!'
De deur slaat dicht.

Zooo, denkt Thijs, dat ging maar net goed!
Snel kruipt hij uit de struik.
Nu naar Isa toe.
Nog één keer kijkt hij op naar het balkon.
Help, nee! Vlak boven zich ziet hij de mam van Max.
Ze buigt ver over het hek heen.
Als een kat loert ze op hem neer.
'Jou ken ik!' schreeuwt ze.

Thijs hapt naar lucht.
Hij sprint weg, vlucht de tuin uit en komt op het pad.
Weg van hier! Weg! Het **bloed** jaagt door zijn hoofd.
Zijn adem giert in zijn keel.
Het is heel donker op het pad.

Hij kan zijn hand niet eens zien.
Dan plots, voelt hij iets warms op zijn arm.
Hij slaakt een gil en slaat wild om zich heen.

'Kalm nou! Ik ben het!'
'Isa?' Thijs snakt naar lucht en lacht schril.
'Stil nou!' sist Isa.
'Kom mee.'
Ze pakt zijn hand en trekt hem mee langs het pad.

'Ik heb een foto van Max!' juicht Thijs
als ze weer op straat staan.
'Echt, die is zo vet!'
'Je bent top!' lacht Isa.
'Kom, we gaan naar huis.'

Moeder

De moeder van Thijs veert op uit haar stoel.
'Ha, daar heb je er een!
Ik hoop dat het Isa is.'
Mam legt haar hand op de knie van haar man.
'Ze had zo gehuild, en dan in het donker de straat op.
En dat nog alleen ook, nee, ik vond het maar niks.'
Mam zet haar hand tegen het raam en tuurt de tuin in.

'Ze zijn er alle twee weer!' roept ze blij naar haar man.
Ze zwaait naar Isa en Thijs, maar die zien haar niet eens.
Wat staan die twee nou te doen? vraagt mam zich af.
Thijs houdt iets in zijn hand.
Het schijnt erg leuk te zijn.
Nu tilt Thijs zijn hoofd op en zwaait naar haar.
Mam zwaait terug.
O wat fijn, hij lacht! denkt ze.
Het lijkt wel weer de oude Thijs.

'Hoi, we zijn er weer!' roept Thijs.
Hij komt met Isa de kamer in.
Hij straalt! denkt mam.
Komt dat door Isa?
'Bah, Thijs, hoe komt je trui zo vies?' vraagt ze.
'Toch niet erg?' lacht Thijs.
Hij duwt Isa voor zich uit naar de deur.
'Ik denk,' zegt mam,
'dat Thijs Isa **wel heel aardig** vindt.'

Isa

'Deze foto doen we,' zegt Isa.
'Dié? Waarom niet die daar?' wijst Thijs.
'Hier staat Max niet eens op.
Je ziet alleen zijn dekbed en zijn aap.
Wie weet nou van wie die aap of dat bed is?'
'Max,' zegt Isa kalm.
'Ja, Max, maar dat schiet toch niet op?
Ik wil dat de meiden uit de klas zien hoe sloom Max is.
Ha! **Het is een sukkel** die nog op zijn duim zuigt!'

'Is dat echt waar het om gaat?' Isa kijkt Thijs recht aan.
'Het gaat er toch om dat Max een les leert?'
'Juist!' Thijs rekt zich uit.
'Straks ligt de hele klas slap om die foto.
Dan kan Max met zijn grote mond wel naar huis gaan.'
Blij kijkt hij naar de foto.
'Dit wordt mijn screensaver!'
Isa zwijgt en draait een pluk haar om haar vinger.
Wat zou pap hier nu van zeggen? denkt ze.

'Ik deed het voor jou,' zegt Thijs zacht.
Isa kijkt op. Wat klinkt hij verlegen.
'Ik vond het zo vals wat Max zei over jou en je moeder.
Dat ging echt véél te ver.'
'Lief van je,' zegt Isa, 'het is je heel goed gelukt.'
Thijs bloost en Isa geeft hem een por.
'Deed je het echt voor mij?

Dan mag ik de foto kiezen, toch?'
'Hmm,' bromt Thijs.

'Dit wordt hem,' zegt Isa.
Thijs trekt een scheef gezicht.
'Goed dan,' zucht hij, 'geef maar op.'
Hij doet een snoer aan zijn mobiel.
Het snoer stopt hij in de computer.
'Maar ik snap het niet,' zegt hij sip.
'Die met zijn duim in zijn mond is toch top!'
'Ik heb me vergist,' zegt Isa.
Ze haalt het schrijfblok uit haar tas en pakt een pen.
Ze kijkt naar het woord **Macht**.
'Dit klopt niet, dat weet ik nu.'
Ze schrijft een nieuw woord op en laat het aan Thijs zien.

Onmacht!!!!

'Waar slaat dat nou op?' vraagt Thijs boos.
'Ik leg het je uit,' zegt Isa kalm.
'De pa van Max wil dat zijn zoon een prof wordt in voetbal.
Zijn ma vindt ook dat hij heel goed speelt.
Maar Max zelf weet wel beter.
Hij doet heel erg zijn best, maar het lukt hem niet.
Hij is lang niet zo goed als jij.'
'Nou en?' vraagt Thijs.
Het klinkt stoer, maar Isa ziet dat hij straalt van trots.
'Dat geeft hem toch niet het recht om mij te pesten?'
'Tuurlijk niet.' Isa kijkt hem aan en lacht.
Thijs bukt en doet of er iets niet goed is met een snoer.

Wat lief, denkt ze, hij bloost weer tot aan zijn oren.
'Maar het weegt wel mee voor de **straf** die Max krijgt,'
zegt ze.
'Dat doet een rechter ook.'

'En als je nou geen gelijk hebt?' vraagt Thijs.
'Als Max pest voor de lol?'
Isa denkt na.
'Dan is er nog foto twee,' zegt ze.
'Dat mail ik hem nu, dan weet hij dat alvast.'
Isa buigt voor Thijs langs en typt snel.

☺ Fan van Ginkel zegt:
☺☺ Ik heb een leuke foto voor je Max!!! ☺
☺☺ Check maar in je mail. Wil je er nog meer zien?
☺☺☺ Dat kan!!! La maar horen ☺☺☺

'Stuur die foto maar naar Max.'
'Alleen naar Max?' vraagt Thijs.
'En niet naar de meiden uit mijn klas?'
'Nog niet. Maar als Max nog één keer pest,
doen we dat meteen!'

☹☹☹ Slachter M zegt:
☹☹☹ **Hoef die fotos niet** ☹
☹ **Vin ze niet chill** ☹☹☹

'Zo!' roept Thijs uit.
'Er staat geen scheldwoord bij.
Dat joch is nu zo mak als een lam.

Wacht, ik moet nog wat naar hem mailen.'

☺ Fan van Ginkel zegt:
☺☺☺ Max, kun jij sorry zeggen????
Doe maar, tis niet zo moeilijk! ☺☺☺

☹☹☹ Slachter M zegt: sorry

'Kun jij lezen wat er staat?' vraagt Thijs.
'Ik wel,' zegt Isa.
'Top!' lacht Thijs, 'want het is voor jou!'
En hij geeft haar plots een zoen.
Isa voelt dat ze knalrood wordt.
Snel staat ze op.
'Ik ga nu naar bed,' zegt ze en ze vlucht naar de gang.
Daar blijft ze staan.
Zacht legt ze haar warme wang tegen de deur van Thijs.
Na een poos drukt ze de klink omlaag.
'Hoor eens, Thijs,' zegt ze met haar hoofd om de hoek.
'Ik wil pas verkering met je als je in de D1 komt.
Doe dus maar goed je best op de training!'

Topboeken in Zoeklicht Dyslexie

De regels van Floor

Floor verzint haar eigen regels.
Want grote mensen weten heus niet alles beter.
Regel 1: Alle kinderen mogen zelf regels maken.
En zo verzint Floor nog veel meer regels!
Lees maar in dit boek.
Lol!

AVI M4

Het hanengevecht

Pio staat met zijn haan in de ring.
Straks begint het gevecht.
Haan tegen haan.
Als de haan van Pio wint, wordt Pio rijk.
Dan hoeft Pio niet meer te werken.
Dan mag hij naar school.

*Het oorspronkelijke boek 'Het Hanengevecht' is in 2013
bekroond met een Vlag en Wimpel van de Griffeljury.*

AVI E4

De griezelbus

Het lijkt een gewoon dagje uit.
Schrijver Onnoval neemt een klas mee met zijn bus.
Tijdens de rit leest hij verhalen voor ...
Maar het is niet gewoon,
want het is de **griezelbus**.
Dus de verhalen zijn griezelig ...

Stap jij ook in de **griezelbus**?
Lees en huiver mee!
Durf je?

AVI M4

pesten

Toegekend door Cito i.s.m. KPC Groep

1e druk 2014

Nur 286
ISBN 978 90 487 1761 3

© Uitgeverij Zwijsen B.V., Tilburg, 2014
Oorspronkelijke tekst: Els Rooijers
Zoeklicht dyslexie hertaling: Els Rooijers
Illustraties: Juliette de Wit

Vormgeving: Rob Galema
Zoeklicht dyslexie logo: Natascha Frensch
Logo ff dimmen!: Eefje Kuijl
Typografie: Zwijsen Dyslexie Font
Omslagfoto: Marijn Olislagers

Het oorspronkelijke boek *ff dimmen!* is verschenen in de serie
Nieuws van Uitgeverij Zwijsen.

Voor België:
Uitgeverij Zwijsen.be, Antwerpen
D/2014/1919/163